Il grande libro delle

Fiabe

Illustrazioni: Tony Wolf e Piero Cattaneo
Testi: Peter Holeinone
Progetto grafico copertina: Sansai Zappini

www.giunti.it

Stampato presso Lito Terrazzi srl – Stabilimento di Iolo

Il grande libro delle Fiabe

DAMI EDITORE

Indice

I tre Porcellini

C'erano una volta tre porcellini che avevano lasciato il papà e la mamma per girare il mondo.

Per tutta l'estate vagabondarono per boschi e pianure giocando e divertendosi. Nessuno era più allegro di loro e facevano facilmente amicizia con tutti. Dappertutto erano ospitati con piacere, ma quando cominciò la cattiva stagione, si accorsero che tutti tornavano alle loro occupazioni abituali in previsione dell'inverno. Arrivò l'autunno con le prime piogge e i tre porcellini cominciarono a sentire il bisogno di una casa. A malincuore si accorsero che il periodo degli svaghi era finito e che occorreva lavorare come gli altri per non trovarsi in inverno senza un tetto, al freddo e sotto l'acqua.

Tennero consiglio sul da farsi, ma ognuno di loro prese delle decisioni diverse: il più pigro dei tre decise di costruirsi una capanna di paglia.

"In un giorno sarà pronta" disse soddisfatto ai fratelli.

Ma gli altri scossero la testa.

"È troppo fragile" dissero disapprovando, ma lui non li ascoltò.

Il secondo porcellino, meno pigro dell'altro, andò a cercarsi delle assi di legno ben stagionate e PIM, PUM, PAM con delle robuste martellate le inchiodò fra di loro in due giorni. Ma la casetta di legno non trovò l'approvazione del terzo porcellino, che sentenziò: "Non si può fare una casa in questo modo. Ci vogliono tempo, pazienza e molto lavoro per costruire qualcosa che resista al vento, alla pioggia, alla neve, ma soprattutto ci difenda dal lupo!".

Passarono i giorni e la casa del porcellino più saggio cresceva lentamente, piano piano, mattone dopo mattone.

I suoi fratelli andavano ogni tanto a trovarlo e gli dicevano ridendo: "Perché lavori tanto? Non vuoi venire a giocare?". Ma, cocciuto, il porcellino muratore rifiutava. "Prima finirò la casa, che dovrà essere solida e robusta, e solo dopo verrò a giocare. Non sarò imprudente come voi. Ride bene chi ride ultimo!"

Fu il più saggio dei tre porcellini ad accorgersi che nei paraggi un grosso lupo aveva lasciato delle tracce.

7

Allarmati, si rifugiarono in casa. Dopo un po' il lupo arrivò e fissò
con occhi torvi la casetta di paglia del porcellino più pigro.
"Vieni fuori che devo parlarti!" ordinò il lupo, già con l'acquolina in bocca.
"Preferisco stare qui" rispose con un fil di voce l'altro.
"Ti farò uscire io!" urlò il lupo inferocito e, gonfiato il petto, inspirò più aria
che poté. Poi, con tutta la forza dei suoi polmoni, soffiò sulla casetta:
la paglia ammucchiata dall'ingenuo porcellino sui fragili sostegni non resse
alla folata tremenda.
Rimirando tutto soddisfatto gli effetti della sua prodezza, il lupo non
si accorse che il porcellino, sgusciato dalla paglia caduta, stava correndo
a rifugiarsi nella casetta di legno del fratello.

Quando si rese conto che il porcellino era scappato, il lupo già arrabbiato, montò su tutte le furie.

"Vieni qui, dove scappi?" urlò cercando di fermare la sua preda, che ormai stava entrando nella casetta di legno.

Il fratello l'accolse, tremando anche lui come una foglia.

"Speriamo che la nostra casetta regga! Appoggiamoci tutti e due contro la porta, così non potrà entrare."

Il lupo dall'esterno sentiva parlare i due porcellini e all'idea del doppio pasto, affamato com'era, cominciò a tempestare con i pugni la porta.

"Aprite, aprite! Voglio solo parlarvi!" gridava ma, ovviamente, mentiva.

Dentro, i due fratellini piangevano atterriti e cercavano di resistere ai colpi.

Allora il lupo, infuriato, si preparò al nuovo sforzo: gonfiò ancora di più il petto e… PFFF… PFFFFFUUMMM!

La casetta di legno crollò come un castello di carte.

Per fortuna il fratello saggio aveva visto tutto dalla finestra della sua casa in muratura e aprì velocemente la porta per accogliere i due fratelli che scappavano.

Appena in tempo, perché il lupo stava già picchiando furibondo sulla porta!

SBUM! SBUM! SBUM!

Questa volta il lupo rimase un po' perplesso, perché la casetta gli sembrava
più solida delle altre. Infatti soffiò una volta, poi un'altra, poi un'altra ancora,
ma invano. La casetta era sempre lì e i tre porcellini lo guardavano un po' più
rassicurati. Spossato da tutti questi tentativi, il lupo pensò di giocare d'astuzia.
Lì vicino c'era una scala: si arrampicò sul tetto per esaminare il camino.
Le sue mosse però non erano sfuggite al porcellino più saggio che ordinò
subito agli altri: "Accendete il fuoco, presto!".
Il lupo, infilate le lunghe zampe
nella bocca del camino, rimase un po'
incerto se lasciarsi scivolare nell'apertura
nera. Non era un'entrata facile, ma
le voci dei tre porcellini che salivano
dal basso non facevano che
aumentare il suo appetito.
"Non ne posso più dalla fame!
Proverò a scendere!"
E si lasciò cadere giù.
Ma l'atterraggio fu
piuttosto caldo,
anzi… davvero
troppo caldo!

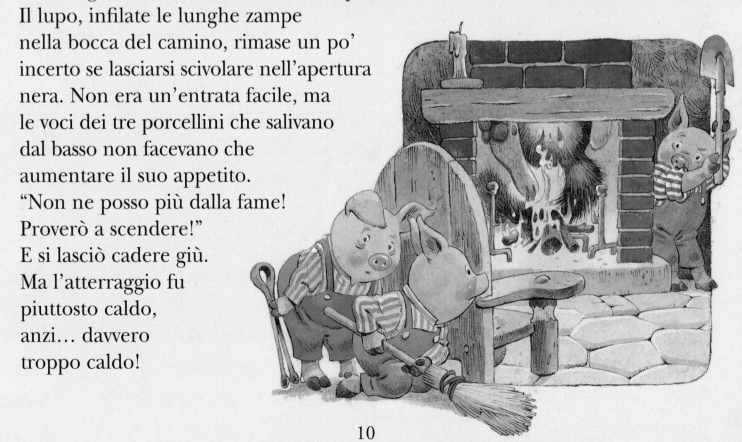

La belva si ritrovò nel fuoco, intontita dal colpo della caduta.
Le fiamme attaccarono il pelo ispido, la coda soprattutto diventò
una torcia ardente, insomma tutto il gran corpo del lupo divenne una massa
bruciacchiata e fumante.
Come se non bastasse, il porcellino saggio che lo aspettava ordinò:
"Picchiate! Picchiate forte!".
Il povero lupo fu bastonato a dovere, finché la porta della casetta fu aperta
e la belva che gemeva e ululava dal dolore fu spinta fuori.

"Mai più! Mai più scenderò da un camino!"
urlava il lupo tentando di spegnersi la coda
in fiamme. E scappò più veloce che poteva.
I tre porcellini felici, ballando nel cortile,
si misero a cantare: "Trallalà! Trallalà!
Il lupo nero non tornerà... !".

Da quel giorno tremendo i fratelli del porcellino saggio si misero anche loro a
lavorare. In poco tempo altre due casette in muratura si aggiunsero alla prima.
Una volta il lupo tornò a gironzolare nei dintorni, ma vedendo i tre camini,
gli sembrò di riprovare il dolore terribile della coda bruciata e si allontanò
per sempre.
Ormai sicuro e tranquillo, il porcellino chiamò i fratelli: "Basta lavorare
adesso! Su, correte, andiamo a giocare!".

Il lupo e i sette capretti

C'era una volta una capra che abitava in una bella casetta con i suoi sette figli. Ogni volta che mamma capra doveva assentarsi per andare a fare la spesa faceva le solite raccomandazioni.

"Non dovete assolutamente aprire a nessuno!" diceva. "Ricordatevi che un lupo cattivo gira nei dintorni: è nero, con delle brutte zampacce e un vocione cattivo. Se dovesse bussare, tenete la porta ben chiusa!"

E anche quel giorno, prima di recarsi al mercato, disse quelle parole.

Fece bene a dirle perché, proprio mentre raccontava a una sua vicina le sue paure, il lupo che si era travestito da contadina, ascoltava nascosto lì vicino.

"Bene, bene!" disse questi fra sé. "Se la capra è al mercato, andrò a fare una visitina a casa sua, per mangiarmi i caprettini!"

Cercando di non dare nell'occhio, si incamminò verso la casetta della capra.
Giunto, abbandonò il travestimento e urlò col suo vocione: "Aprite, aprite!
Sono la mamma! Sono appena tornata dal mercato. Aprite!".
I capretti, nel sentire quel vocione, si ricordarono i consigli della mamma
e dietro la porta sbarrata dissero al lupo: "Ti abbiamo riconosciuto! Tu sei
il lupo! La nostra mamma ha una vocina gentile e dolce, non un vocione
brutto come il tuo. Vattene via, non ti apriremo mai!".
Per quanto il lupo picchiasse furibondo per farsi aprire, i capretti, pur
tremando dalla paura, non si lasciarono convincere: la porta restò chiusa.
Il lupo allora ebbe un'idea: corse dal pasticciere
e si fece dare una grossa torta con tanto miele,
sperando, con questa, di addolcire la sua voce.
Infatti appena l'ebbe inghiottita, gli sembrò
di avere raggiunto l'effetto sperato.
Provò varie volte a imitare la voce della capra,
che aveva sentito al mercato e quando gli
parve di poter essere scambiato per la mamma
dei capretti, tornò alla casetta.
"Aprite, aprite! Sono la mamma! Sono appena
tornata dal mercato! Aprite!" disse ancora.

Questa volta i capretti rimasero dubbiosi: la voce assomigliava molto a quella della loro mamma e stavano per aprire quando il capretto nero, non convinto, disse: "Facci vedere la tua zampetta, mamma!".

Senza riflettere, il lupo alzò la zampa verso la finestra e i capretti nel vedere la zampaccia nera e pelosa capirono che dall'altra parte della porta c'era di nuovo il lupo.

"Tu non sei la nostra mamma! La mamma non ha quelle zampacce nere che hai tu! Vattene via, brutto lupo!" urlarono.

Anche questa volta, nonostante le insistenze della belva, la porta rimase chiusa.

Il lupo corse allora al mulino e trovato un sacco di farina bianca, vi cacciò dentro le zampe finché queste non divennero completamente bianche.

"Questa volta riuscirò a ingannarli.
Uhmmm, ho già l'acquolina in bocca!
Che fame! È una settimana che non mangio e ho la pancia così vuota!" pensava. "Tutti quei bei caprettini teneri, li manderò giù in un sol boccone!"

Poi si diresse nuovamente verso la casetta e bussò di nuovo alla porta.

"Aprite, aprite! Sono la mamma! Sono appena tornata dal mercato! Aprite!"

La voce assomigliava a quella della mamma, ma i capretti sospettosi chiesero subito: "Facci vedere la zampetta, mamma!".

Il lupo allora alzò la zampa tutta bianca e i capretti, ormai convinti, aprirono la porta, ma...

Oh, che spavento! La grossa bocca dai denti aguzzi, ringhiava feroce, mentre le zampe dagli unghioni crudeli cercavano le piccole prede.

I capretti scappavano atterriti in tutte le direzioni; uno si rifugiò sotto il tavolo, un altro sotto il letto, un altro nella credenza, un altro, nonostante fosse ancora tiepido, cercò scampo nel forno, un altro si nascose in un barile e uno in una cesta. Il capretto nero pensò che il rifugio più sicuro fosse la pendola, e lì rimase, trattenendo il respiro mentre il lupo cercava i suoi fratelli.

A uno a uno tutti furono rintracciati e la fame insaziabile del lupo cattivo non si placò finché l'ultimo non fu trovato e inghiottito in un sol boccone.

L'unico che alla fine riuscì a salvarsi fu proprio il capretto nero, forse perché il lupo pensò che in una pendola così stretta non ci fosse posto per una delle sue vittime.

Nel frattempo la mamma era tornata dal mercato e, quando da lontano si accorse che la porta era semiaperta, corse affannata con il cuore in gola e un terribile presentimento.

Purtroppo era successo quello che temeva tanto: il lupo aveva mangiato tutti i suoi figlioletti.

Piangendo disperata si abbandonò su una sedia, ma mentre singhiozzava la porticina della pendola si aprì e il capretto nero corse verso di lei.

"Mamma! Mamma!" piangeva il capretto. "Che spavento! È venuto il lupo e credo che abbia mangiato tutti!"

"Povero figlio mio, purtroppo quella bestiaccia feroce ha mangiato tutti i tuoi fratelli! Sei rimasto solo tu!"

Di lì a poco mamma e figlio uscirono dalla casa per andare in giardino e lì vicino la capra sentì un fischio sibilante: qualcuno russava rumorosamente.

Era il lupo che, dopo aver mangiato i capretti, riposava di un sonno profondo per il pasto troppo abbondante.

Svelta svelta, la capra ebbe un'idea e disse al figlio: "Presto! Corri a casa e prendimi ago, filo e forbici!".

Con le forbici tagliò in un baleno la pancia al lupo.

Come sperava, il lupo ingordo aveva inghiottito interi tutti i capretti, che erano ancora vivi dentro la pancia.

A uno a uno, uscirono sani e salvi dalla pancia della belva.

"Svelti, svelti! Non fate rumore, allontanatevi prima
che si svegli! Anzi, andate a prendermi tanti sassi
pesanti e portatemeli qui!"
La pancia del lupo fu riempita di ciottoli
e poi, con ago e filo, ricucita per bene.
Più tardi il lupo si svegliò con una
grande sete.
"Oh, povero me! Che pancia pesante
mi sento! Ho mangiato troppo!
Tutti quei capretti… devo aver fatto
indigestione!"
Avvicinatosi al fiume per bere, la bestia,
terribilmente appesantita dalla pancia piena di sassi,
perse l'equilibrio e cadde nell'acqua. Il peso la trattenne sul fondo e la capra
e i capretti urlarono di gioia quando videro che non tornava più a galla.
I capretti tornarono felici nella loro casetta insieme alla mamma, ormai certi
che il lupo affamato non sarebbe più tornato.

Il topo di città e il topo di campagna

C'era una volta un topo che durante una gita fuori città fece conoscenza con un topo di campagna. Trascorsero la giornata insieme e fecero amicizia; il topo di campagna portò l'altro nei campi e negli orti e gli fece gustare i frutti che la terra offriva. Il topo di città, che non era abituato alla bellezza della campagna, ne rimase entusiasta, anche se trovò i cibi offerti dal topo di campagna meno raffinati di quelli a cui era abituato. Per sdebitarsi della magnifica giornata pensò bene di invitare il topo di campagna a fargli visita.

Quando quest'ultimo arrivò dall'amico
rimase sbalordito: prosciutti, formaggi, olio, farina,
miele, marmellate e tante altre cose riempivano la dispensa.
Il topo povero esclamò: "Mai visto niente di simile! Davvero
puoi mangiare tutte queste cose meravigliose?".
"Certo!" rispose l'altro. "E, poiché sei mio ospite, puoi approfittarne!"
Cominciarono a banchettare e il topo di campagna mangiava poco perché
avrebbe voluto assaggiare un po' di tutto prima di saziarsi.
"Sei proprio il topo più fortunato che io abbia mai conosciuto!" diceva quello
di campagna a quello di città.

19

Il topo di città ascoltava i commenti dell'amico quando il rumore di un passo pesante interruppe il pasto. "Presto scappiamo!" sussurrò il topo di città all'amico. Fecero appena in tempo: il piede della padrona di casa era lì a due passi da loro. Che paura! Per fortuna che poco dopo la donna si allontanò e i due topi ritornarono a gustare il pranzo interrotto. "Vieni! Vieni!" disse il topo di città.

"Non ti preoccupare, è andata via! Adesso possiamo dedicarci al miele! Sentirai com'è buono! L'hai mai provato?"

"Sì, una volta, tanto tempo fa!" mentì con finta disinvoltura il topo di campagna, ma quando l'assaggiò non poté fare a meno di esclamare: "Che bontà! Giuro sul Re dei Topi che non ho mai mangiato niente di così buono in vita mia!". Ma di nuovo un rumore di passi, questa volta più pesante di prima, fece scappare i due topi. Il padrone di casa era venuto a prendere delle bottiglie e quando si accorse del

miele rovesciato, brontolò: "Maledetti topi, credevo di averli sistemati tutti! Adesso manderò il gatto!". I topi rimasero a lungo nascosti tremando dalla paura. Erano preoccupati soprattutto per la minaccia che avevano sentito e così impauriti da trattenere il respiro per non fare rumore. Poi a poco a poco, sentendo che non succedeva niente, si rinfrancarono e trovarono il coraggio per uscire dal nascondiglio. "Vieni avanti! Non c'è nessuno!" bisbigliò il topo di città all'amico.

Ma all'improvviso, la porta cigolò lentamente e i due poveri topi rimasero di nuovo impietriti dallo spavento: due occhiacci gialli si accesero nella penombra. Un grosso gatto scrutava minaccioso la stanza. Il topo di città e il suo amico, piano piano, cercando di non fare il minimo rumore, si nascosero di nuovo. Avrebbero voluto che anche il loro cuore, che batteva forte, si fermasse per paura che il gatto potesse sentirli. Per loro fortuna il gatto capitò davanti a una grossa salsiccia e, dimenticando il suo dovere e i motivi per cui il padrone l'aveva mandato nella dispensa, si fermò ad assaggiarla. Poi decise di rimandare a un altro giorno la caccia ai topi e si allontanò per un pisolino. Il topo di campagna, quando si accorse che la via era libera, non aspettò un minuto; strinse la mano all'amico dicendogli: "Grazie di tutto! Ma a questo punto me ne vado di corsa. Non posso sopportare tutti questi spaventi! Preferisco mangiare anche solo poche ghiande, ma tranquillo in campagna, piuttosto di avere cibi squisiti, ma con tanti pericoli e batticuore!".

Il brutto anatroccolo

C'era una volta, in una vecchia fattoria, una famiglia di anatre e mamma anatra aveva appena finito di covare la nuova nidiata.

Un bel mattino sei vispi anatroccoli uscirono pigolando dai gusci d'uovo.

Ma un uovo più grosso degli altri non si apriva. Mamma anatra non si ricordava di aver deposto quel settimo uovo. Com'era finito lì?

Toc! Toc! Continuava a battere nel guscio l'anatroccolo prigioniero.

"Possibile che mi sia sbagliata a contare le uova?" si chiese mamma anatra.

Ma non ebbe il tempo di chiarire i suoi dubbi perché l'uovo ritardatario
si aprì: uno strano anatroccolo dal piumaggio grigio anziché giallo si affacciò
a guardare la mamma perplessa.

Gli anatroccoli crescevano rapidamente. Ma mamma anatra aveva un dubbio.
"Non riesco proprio a capire come questo possa essere mio figlio, brutto
com'è!" si diceva perplessa nel guardare l'ultimo nato.

Infatti l'anatroccolo grigio bello non era, anche se, mangiando più degli altri,
stava diventando il più grosso dei suoi fratelli.

I giorni che seguirono furono sempre più tristi per il poveretto.

I suoi fratelli non volevano giocare
con lui perché era goffo e sgraziato,
mentre tutti gli altri abitanti del
cortile lo deridevano. Si sentiva solo
e triste anche se mamma anatra
ogni tanto cercava di consolarlo.
"Povero figlio mio!" gli diceva.
"Perché non sei come gli altri?"
Il povero anatroccolo era sempre
più infelice. Di notte continuava
a piangere di nascosto, si sentiva
abbandonato da tutti.
"Nessuno mi vuole bene, qui tutti
mi prendono in giro. Oh! Perché
non sono uguale ai miei fratelli?"

Una mattina, all'alba, scappò via dalla fattoria.

Nel laghetto dove si fermò, cominciò a chiedere a tutti quelli che incontrava: "Conoscete degli anatroccoli che hanno le piume grigie come le mie?". Ma tutti scuotevano la testa sprezzanti. "Brutto come te non conosciamo nessuno!" L'anatroccolo non si rassegnava e continuava a chiedere qua e là.

Arrivò a uno stagno e due grosse oche granaiole alla stessa domanda diedero la stessa risposta. Anzi, lo misero in guardia: "Scappa, scappa da questo posto, è pericoloso, ci sono in giro dei cacciatori!".

L'anatroccolo adesso rimpiangeva di aver lasciato la fattoria.

Finché nel suo girovagare capitò vicino alla casetta di una vecchia
contadina che lo afferrò credendolo un'oca smarrita.
"Lo metterò in gabbia. Speriamo che sia una femmina e che faccia tante uova!"
disse la vecchia che non ci vedeva molto bene. Ma, ovviamente, l'anatroccolo
non faceva uova e la gallina lo spaventava continuamente: "Vedrai che la
vecchia, se non riesci a fare le uova, ti tira il collo e ti mette in pentola!".

Anche il gatto rincarava la dose: "Ih! Ih! Speriamo che la vecchia ti cucini presto,
così rosicchierò gli ossicini!".
Al povero anatroccolo dallo spavento era passato l'appetito,
anche se la contadina continuava
a rimpinzarlo brontolando: "Se non
fa le uova speriamo che ingrassi
almeno in fretta!".
"Oh! Come sono disgraziato!"
si diceva l'anatroccolo terrorizzato.
"Morirò prima dalla paura!
Speravo tanto che almeno
qualcuno qui mi volesse bene."
Finché una notte, approfittando
della porta della gabbia rimasta
socchiusa, scappò. Era di nuovo solo.

Si allontanò più veloce che poteva dalla casa, finché all'alba si trovò in mezzo a un folto canneto.

"Se nessuno mi vuole, resterò nascosto qui per sempre!" decise.

Il cibo non mancava e l'anatroccolo cominciava a essere più tranquillo, ma soffriva di solitudine.

Una mattina vide passare un volo di magnifici uccelli bianchi dal collo flessuoso, giallo il becco e grandi le ali, che migravano a sud. "Potessi essere bello come loro anche solo per un giorno!" pensò allora, ammirandoli da lontano.

Arrivò l'inverno e l'acqua del canneto si ghiacciò.

Il povero anatroccolo abbandonò il suo rifugio per cercare un po' di cibo nella neve. Ma poi cadde sfinito, finché un contadino di passaggio lo trovò e lo mise nell'ampia tasca della sua giubba. "Lo porterò ai miei figli che avranno cura di lui. Poveretto! È tutto gelato!" disse il brav'uomo, carezzando la povera bestia. A casa tutti accolsero bene il nuovo venuto e fu così che l'anatroccolo si salvò da quel gelido inverno.

Ma a primavera era diventato così grande che il contadino si decise: "Lo porterò allo stagno e lo lascerò libero!".

Fu allora che l'anatroccolo vide la sua immagine riflessa nell'acqua e... "Possibile?! Come sono cambiato! Non mi riconosco più!" Il volo di cigni tornò dalla migrazione e planò nello stagno. Quando l'anatroccolo vide i nuovi venuti si accorse che erano come lui e ben presto fece amicizia. "Siamo cigni come te! Dove ti sei nascosto finora?" tutti gli chiedevano cordiali. "È una storia lunga!" rispose il giovane cigno ancora stupito. Nuotava maestoso in mezzo ai suoi simili e finalmente non si sentiva più solo. Finché un giorno sentì alcuni bambini dalla riva: "Guardate, guardate quel giovane cigno, è il più bello di tutti!". Si sentiva ormai tanto, tanto felice.

Pollicina

C'era una volta una donna che non aveva figli e sognava
tanto di avere una bambina. Il tempo passava e il suo
desiderio non veniva esaudito. Decise allora di ricorrere
a una maga, che le diede un chicco d'orzo prodigioso da
interrare in un vaso di fiori. Il giorno dopo un fiore meraviglioso,
simile a un tulipano, era sbocciato: quando i petali non erano
ancora completamente aperti, la donna li sfiorò con un bacio leggero.
Come per incanto la corolla si aprì e apparve una bambina minuscola,
alta un pollice. Fu per questo chiamata Pollicina e per letto le fu dato
un guscio di noce, come materasso petali di viola e per coperta un petalo
di rosa. Di giorno, per farla giocare, in un piatto pieno d'acqua veniva
posata una barchetta fatta con un petalo di tulipano. Pollicina navigava
nel minuscolo laghetto usando come remi due crini di cavallo e cantava,
cantava con voce dolce e melodiosa. Una notte, mentre dormiva nel guscio
di noce, una grossa rana entrò attraverso il vetro rotto di una finestra.

Osservò a lungo Pollicina, pensando fra sé: "Com'è bella! Sarebbe la sposa ideale per mio figlio!". Senza farsi vedere prese il guscio che conteneva Pollicina e tornò in giardino. E di qui raggiunse lo stagno dove abitava. Il figlio, brutto e grasso, abituato com'era a obbedire alla madre, approvò la scelta. La madre, preoccupata che la bella prigioniera potesse fuggire, condusse Pollicina su una foglia di ninfea in mezzo all'acqua. "Da qui non potrà più scappare!" disse al figlio. Pollicina rimase sola. Era disperata, capiva di non potersi sottrarre al destino riservatole dai due ripugnanti ranocchi e continuava a piangere. Alcuni pesci che si riparavano dal sole sotto la grossa foglia di ninfea, avevano sentito il discorso dei ranocchi e i lamenti della bambina e decisero di intervenire. Rosicchiarono il gambo che teneva la foglia, finché questa si mosse trascinata dalla corrente. Una farfalla che svolazzava lì vicino, propose: "Se mi getti un capo della tua cintura posso farti viaggiare più velocemente".

Pollicina accettò ringraziando e presto la foglia si allontanò sempre più dallo stagno dei ranocchi.
Ma i pericoli non erano finiti: un maggiolino la vide e l'afferrò con le robuste zampe, portandola in alto tra le foglie dell'albero su cui abitava. "Guardate com'è bella!" diceva rivolto ai compagni. Ma questi lo convinsero che era troppo diversa da loro e il maggiolino la lasciò libera.

Era estate e Pollicina vagava tra i fiori e l'erba alta, cibandosi di polline e bevendo rugiada. Arrivarono presto le prime piogge e la brutta stagione; per la bambina era sempre più difficile nutrirsi e ripararsi. Quando arrivò l'inverno cominciò a soffrire per il freddo e la fame la tormentava.
Un giorno, mentre vagava disperata per i campi spogli, incontrò un grosso ragno che promise di aiutarla. L'accompagnò nell'incavo di un grosso ulivo e si mise a tessere una ragnatela per proteggerne l'ingresso. Poi la sfamò con delle castagne secche e chiamò i suoi amici ad ammirare Pollicina. Ma quanto era

successo con i maggiolini si ripeté con i ragni e il protettore di Pollicina fu convinto ad abbandonarla. La bambina, convinta di essere brutta e che perciò nessuno la volesse, lasciò piangendo il rifugio del ragno.

Vagando infreddolita, incontrò una robusta casetta fatta di rametti e foglie secche. Bussò speranzosa e un topo campagnolo l'accolse sulla soglia: "Che cosa fai in giro con questo freddo? Vieni dentro a scaldarti!". La casetta, accogliente e ben riscaldata, era piena di provviste e, in cambio dell'ospitalità, Pollicina faceva le pulizie e raccontava favole al topo. Un giorno il padrone di casa annunciò la visita di un amico dicendo: "È una talpa molto ricca e ha una splendida casa. È solamente un po' miope, ma ha bisogno di compagnia e ti sposerebbe molto volentieri!". Pollicina non gradì molto questa proposta, ma nonostante ciò, quando il talpone venne in visita, raccontò delle bellissime storie e cantò con la sua voce melodiosa.

Il talpone, pur non vedendola
bene, se ne innamorò subito.
Il topo di campagna e Pollicina
furono invitati a visitare la tana
della talpa ma, con sorpresa e
orrore, lungo la galleria trovarono
una rondine che sembrava morta.
Il talpone la scostò con un piede:
"Ben le sta! Invece di svolazzare
nella bella stagione, doveva fare
come me, vivere sotto terra!".
Pollicina, inorridita dalla frase
crudele, più tardi, di nascosto,
tornò nella galleria e, trascinata

la rondine in un anfratto, si accorse che non era morta. Ogni giorno tornava
a curarla e a nutrirla con amore, all'insaputa del talpone che intanto insisteva
per sposarsi. La povera rondine raccontò la sua storia: ferita da una spina, non
aveva potuto seguire le sue compagne nei paesi caldi.
"Sei buona a occuparti di me!" diceva sempre a Pollicina.
Poi venne la primavera: la rondine, ormai guarita, volò
via, invitando la bambina, che rifiutò.

Durante l'estate Pollicina cercò di ritardare il più possibile le nozze con il talpone. La fanciulla pensava con terrore che, sposando la talpa, sarebbe rimasta sotto terra senza più vedere il sole. Il giorno prima delle nozze chiese di trascorrere l'ultima giornata all'aperto; stava accarezzando un fiore, quando sentì un cinguettio familiare: "Fra poco tornerà l'inverno e io volerò nei paesi caldi. Vieni con me!". Allora Pollicina abbracciò forte la rondine amica che subito spiccò il volo. Sorvolarono boschi e laghi, pianure e montagne e arrivarono in un paese tutto fiorito. La bambina fu deposta fra i petali di un fiore ed ebbe la sorpresa di trovare un genio dalle ali bianche, piccolo e carino come lei: era il Re dei Geni che abitavano nei fiori. Egli fu subito conquistato dalla bellezza di Pollicina e chiese di sposarla. Questa volta Pollicina accettò con gioia e subito anche a lei spuntarono due piccole ali bianche. Pollicina era diventata la Regina dei Fiori.

Mignolino

C'era una volta un gigante che aveva litigato con un mago molto avido a proposito di un tesoro da spartire. Il gigante, alla fine della discussione, minacciò l'altro: "Potrei schiacciarti col mio mignolo se volessi! Vattene via!". Il mago si allontanò, ma quando fu ben distante dal dito minaccioso del gigante lanciò la sua terribile vendetta: "Abracadabra! Sia fatto il sortilegio! Il figlio che tua moglie aspetta non sarà mai più grande del mio mignolo!". Quando Mignolino nacque i genitori erano disperati.

Faticavano a vederlo e a trovarlo e, per parlargli, dovevano sussurrare per non assordarlo. Mignolino alla compagnia dei genitori, così diversi da lui, preferiva giocare con i piccoli abitanti che popolavano il giardino. Si divertiva a cavalcare la chiocciola e a ballare con le coccinelle ed era felice in questo mondo minuscolo.

Un brutto giorno ebbe la malaugurata idea di andare a trovare un ranocchio, suo amico: era appena salito su una foglia che gli faceva da barchetta quando un grosso luccio in agguato lo inghiottì in un sol boccone. Ma anche al luccio il destino aveva riservato una sorte tremenda.

Poco dopo, abboccò all'esca di un pescatore al servizio del Re e in men che
non si dica si trovò davanti al coltello del cuoco, nelle cucine reali.

Fra la sorpresa generale, dalla pancia del pesce, Mignolino uscì ancora vivo.
"E adesso che cosa ne faccio di questo ometto in miniatura?" si chiese
il cuoco stupefatto. Gli venne un'idea: "Ne farò un paggio reale! Piccolo
com'è, potrò metterlo dentro alla torta che sto preparando e, quando uscirà
dal ponte levatoio suonando la tromba, tutti grideranno al miracolo!".

Mai alla corte del Re era successo un fatto simile; alla prodezza del cuoco
tutti batterono a lungo le mani, il Re per primo.

Fu quest'ultimo a premiare l'artefice di tanto successo con un sacchetto
di monete d'oro. Per Mignolino la sorte fu ancora
più lieta: paggio era diventato per volere
del cuoco e paggio doveva rimanere, con tutti
gli onori e i benefici del caso. Gli furono
assegnati un topolino bianco come cavallo,
uno spillone d'oro come spada e il
permesso di assaggiare il cibo del Re.
In cambio, durante i banchetti,
passeggiava sul tavolo da pranzo,
fra piatti e bicchieri allietando tutti con
la sua trombetta.

Ma, senza saperlo, Mignolino si era
creato un nemico: il gatto, che
fino allora era stato il favorito del
Re, si era visto messo da parte.

Giurò vendetta al nuovo venuto
e gli tese un agguato in giardino.
Mignolino, quando vide il gatto,
invece di scappare, sfoderò lo spillone
d'oro gridando al topo che cavalcava:
"All'attacco! All'attacco!".
Il gatto, punzecchiato più volte dalla
minuscola spada, fuggì vergognosamente.
Poiché non era riuscito a vendicarsi,
il gatto pensò di usare l'astuzia.
Fingendo di trovarsi lì per caso, aspettò
che il Re scendesse dallo scalone
e gli sussurrò: "Maestà, attenzione!
Qualcuno attenta alla vostra vita!".
E raccontò una terribile bugia:

"Mignolino
vi vuole
avvelenare
con la cicuta. L'ho scoperto mentre
ne coglieva le foglie in giardino e l'ho
sentito mormorare questa minaccia".
Il Re, che già una volta aveva avuto
un terribile mal di pancia per aver
mangiato troppe ciliegie, convinto
invece di essere stato avvelenato, chiamò

Mignolino. Il gatto rafforzò la sua accusa
estraendo da sotto la gualdrappa del
topo bianco una foglia di cicuta che lui
stesso aveva nascosto lì poco prima.
Lì per lì, il povero Mignolino non ebbe
la prontezza per replicare alle accuse
e il Re, seduta stante, ordinò che fosse
imprigionato. Data la statura,
la sua prigione fu una pendola.

Passavano le ore e i giorni e per
Mignolino l'unico passatempo era
andare avanti e indietro appeso
all'asta del pendolo. Finché, una
notte, l'attenzione di una grossa
farfalla notturna che svolazzava
nella stanza, fu richiamata da
Mignolino che bussava sul vetro
invocando: "Liberami! Liberami!".
La farfalla, che pochi giorni prima
aveva riacquistato la libertà dopo
essere rimasta prigioniera per
giorni in una grossa scatola in cui si
era addormentata, si impietosì e lo
liberò. "Sali sulla mia groppa! Svelto,
prima che ci vedano!" gli disse.
Stretto al collo della farfalla, durante

il lungo volo notturno, Mignolino raccontò le sue peripezie. "Ti porterò nel
Regno delle Farfalle, dove sono tutti piccoli come te e ti saranno amici."
E così fu! Ancora oggi, se visitate il Regno delle Farfalle, potete visitare
il monumento alla farfalla che Mignolino costruì dopo la sua avventura.

Riccioli d'Oro

C'era una volta, in un grande bosco nei pressi di un villaggio, una casetta
in cui abitava la famiglia Orsi.

Papà Orso era grande e grosso, Mamma Orsa era così così e il loro figlioletto,
che si chiamava Orsetto, era piccolo piccolo.

Naturalmente anche i loro letti non erano uguali: Papà Orso aveva un lettone
lungo e largo per riposare comodo, Mamma Orsa aveva un letto né grande né
piccolo con un bel baldacchino rosa e Orsetto aveva invece un bel lettino di
legno di ciliegio che Papà Orso si era fatto costruire da due castori, suoi amici.

Vicino al camino, dove la famigliola si riuniva la sera, c'era una grossa sedia
intagliata per il capo famiglia, una bella poltroncina in velluto azzurro per
la mamma e una seggiolina per Orsetto.

Perfino in cucina, disposte in bell'ordine sul tavolo, c'erano tre ciotole
di ceramica di misura diversa: una grande per il papà, una media per
la mamma e una piccola per il figlio.

Papà Orso era molto temuto e rispettato nei dintorni e quando passava tutti
si toglievano il cappello per salutarlo. Lui ne era assai lusingato e rispondeva
a sua volta con cortesia.

Mamma Orsa aveva molte amiche a cui faceva visita nel pomeriggio per
scambiare consigli e ricette su marmellate e conserve.

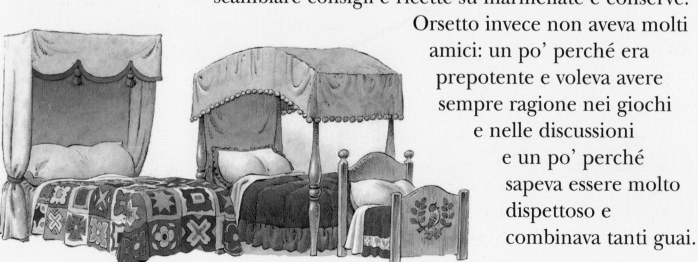

Orsetto invece non aveva molti
amici: un po' perché era
prepotente e voleva avere
sempre ragione nei giochi
e nelle discussioni
e un po' perché
sapeva essere molto
dispettoso e
combinava tanti guai.

Vicino a loro abitava una bambina bionda che si chiamava Riccioli d'Oro
e che aveva lo stesso carattere di Orsetto, ma in più era arrogante e superba
e, benché Orsetto l'avesse invitata molte volte a giocare a casa sua, non aveva
mai voluto accettare.

Quel giorno Mamma Orsa aveva provato una nuova ricetta e aveva preparato
un budino delizioso, con cacao e aroma di vaniglia, scaglie di mandorle
e una copertura di frutti di bosco.

"Bisogna lasciarlo raffreddare, perché sia ancor più buono! Me l'ha detto
l'amica che mi ha dato la ricetta: dovremo aspettare almeno un'ora; perché
non andiamo a fare una passeggiata nel frattempo?" disse Mamma Orsa.

Papà Orso e Orsetto avrebbero preferito mangiare il buon budino all'istante,
ma preferirono far contenta Mamma Orsa, che si era molto impegnata nella
preparazione del budino. Si incamminarono così sul sentiero lungo il fiume.
Nel frattempo Riccioli d'Oro, la bambina superba, capitò vicino alla casa della
Famiglia Orsi mentre raccoglieva dei fiori.

"Uhmm! Che brutta casa hanno gli Orsi!" si disse la bambina mentre passava
davanti alla porta dell'abitazione.

"Voglio andare a vedere com'è dentro! Di certo non sarà bella come la mia, però voglio proprio vedere dove vive Orsetto!"

Toc! Toc! Bussò la bambina sulla porta.

Toc! Toc! Silenzio…

"Possibile che nessuno senta che sto bussando! Uffa!" brontolò la bambina impaziente. "C'è nessuno?" chiese Riccioli d'Oro affacciandosi sulla soglia.

La bambina entrò nella casa deserta e cominciò a curiosare qua e là in cucina. "Ma quello è un budino!" esclamò. Prima affondò il dito nella ciotola grande, ma il budino le sembrò troppo caldo. Poi assaggiò quello nella ciotola media, ma anche quello era caldo. Così provò quello nella piccola ciotola di Orsetto: mmmh, quello sì che era buono! E tiepido al punto giusto! In un attimo, la bambina svuotò la scodella. Ormai sazia, Riccioli d'Oro decise di riposarsi un po'.

Nel salotto trovò la grande sedia di
Papà Orso, ma era troppo dura per
lei. Allora si spostò sulla poltroncina
di Mamma Orsa, ma le sembrava
decisamente troppo morbida.
Poi trovò finalmente quello che
faceva per lei: una bella seggiolina,
proprio della misura giusta!
Era la seggiolina di Orsetto e Riccioli
d'Oro ci si lasciò cadere pesantemente,
ma quella, non abituata a simili
slanci, si ruppe di schianto.
Riccioli d'Oro cadde a gambe all'aria
ma, senza scomporsi per il disastro
che aveva appena combinato, si tirò
su immediatamente e, guardandosi
intorno, si accorse che c'erano delle scale che portavano al piano di sopra.
"Se non posso riposarmi su una seggiolina, cercherò un lettino per me!"
pensò tra sé e, un attimo dopo, stava salendo le scale.

41

Nella camera tre letti: prima si posò sul largo lettone di Papà Orso, ma era troppo grande per lei. Poi si distese su quello né grande né piccolo di Mamma Orsa, ma anche quello le sembrò troppo grande. Alla fine giunse al lettino di Orsetto che, guarda caso, era proprio della sua misura.
"Uhmm! Mi sembra comodo! Beh, non proprio come il mio, ma quasi!" disse molleggiandosi seduta sul letto. "Quasi, quasi… mi sdraio un po'… solo per provarlo solo…" concluse sbadigliando, perché, appena un attimo dopo, dormiva già profondamente nel letto di Orsetto.
Intanto la Famiglia Orsi stava tornando a casa.
"Non vedo l'ora di mangiare il mio budino!" esclamò Orsetto contento.
Fu Papà Orso ad accorgersi da lontano della porta semiaperta.
"Affrettiamoci, qualcuno deve essere entrato in casa nostra!"

"Ecco! Lo sapevo, qualcuno ha mangiato il budino!" sbraitò Papà Orso.
"Qualcuno ha saltato sulla mia poltrona!" brontolò Mamma Orsa.
"…e qualcuno ha rotto la mia sedia!" urlò piangendo Orsetto.
Dov'era il responsabile di tante malefatte?
Salirono tutti al piano di sopra e si avvicinarono sorpresi al lettino di Orsetto:
la bambina dormiva beata. Orsetto le toccò un piede.
La bambina si svegliò di soprassalto e, impaurita
dalle facce minacciose degli Orsi, con un salto
scese dal letto e si lanciò di corsa lungo le scale.
"Non si può neanche dormire in pace!" si diceva
correndo, dimenticando quanti disastri aveva
provocato la sua maleducazione.
E intanto Orsetto gridava: "Non scappare,
ti perdono… vieni a giocare con me!".
Ebbene, finì proprio così: Riccioli d'Oro,
la bambina superba e maleducata, da quel
giorno diventò più brava e, fatta amicizia
con Orsetto, andò spesso a trovarlo
e lo invitò molte volte a casa sua.

La lepre e il porcospino

C'era una volta un vecchio porcospino
che viveva in un grande bosco con i suoi due figli gemelli.
Le mele erano il loro cibo preferito, ma ogni tanto i figli si recavano in un orto vicino per cercare qualche rapa, di cui il padre era ghiotto.
Un giorno, uno dei due gemelli, si era incamminato come al solito per andare a raccogliere delle rape. Con la solita andatura lenta e tranquilla dei porcospini, si era appena avvicinato a un grosso cavolo, quando da dietro la pianta sbucò la lepre che, con aria beffarda, gli disse: "Ben arrivato! È mezz'ora che ti osservo, sei sempre così lento a muoverti? Speriamo che a mangiare tu sia più veloce altrimenti ti occorrerà un anno per mangiare tutte le tue rape!".
Il porcospino, nel sentirsi preso in giro per la sua lentezza, si sentì offeso, ma un istante dopo pensò che era meglio rispondere allo scherno con l'astuzia.

Visto che era lento nei movimenti,
ma svelto di testa, pensò rapidamente
al da farsi. La lepre lo prendeva in giro
perché lui era lento e lei veloce?
Bene! Sarebbe stata proprio la velocità
della lepre la sua rovina.
"Io, se voglio, sono molto più veloce
di te!" disse il porcospino.
"Ah! Ah! Ah!" scoppiò a ridere la lepre
alzando, una dopo l'altra, le grosse
zampe. "Vuoi competere con queste?
Devi sapere che mio nonno era
la lepre più veloce dei suoi tempi.
Ha vinto persino una moneta d'oro.
È stato proprio lui ad allenarmi.
Figurati se nella corsa non posso
competere con te, un porcospino cicciottello! Anzi, scommetto la moneta
d'oro che ho ereditato da lui, che ti batterò facilmente e quando vorrai tu!"
Il porcospino sembrò non dare importanza
alle affermazioni della lepre e tranquillo
accettò la sfida.
"Troviamoci domattina davanti a quel campo
arato che vedi laggiù. Partiremo insieme,
ognuno seguendo un solco parallelo
e vedremo chi arriva prima!"
La lepre se ne andò sghignazzando.
"Ti conviene restare qui tutta la notte,
altrimenti, lento come sei, non farai in
tempo ad andare a casa e ritornare per
l'ora della partenza!" gli disse tra le risate.
Ma il porcospino aveva ideato un piano.
Tornato a casa, lo spiegò al fratello e la
mattina dopo, prima dell'alba si incamminò
con lui verso il campo di gara.

Aveva dato al fratello gemello istruzioni precise ed era molto tranquillo.

Poco dopo la lepre arrivò e affermò insolente: "Mi tolgo i pantaloni così correrò ancora più veloce!".

Partirono e la lepre in un lampo fu dall'altra parte del campo, ma qui trovò il gemello che la prese in giro: "Sei un po' in ritardo, io sono già arrivato da un pezzo!".

La lepre non credeva ai suoi occhi: com'era riuscito quel lento porcospino a essere già lì? Era un vero mistero…

Poi, quasi senza più fiato per la corsa, disse al rivale con un fil di voce: "Riproviamo!".

"Va bene! Ripartiamo!" disse il porcospino entusiasta e pieno d'energia.

Mai in vita sua, neanche quando le era capitato di scappare davanti ai cani da caccia, la lepre aveva corso così veloce.

Ma, giunta in fondo al campo, trovò puntuale ad aspettarla l'altro porcospino che esclamò ridendo: "Sei sempre in ritardo! Sono arrivato ancora primo io!".

Ma la lepre non si voleva dare per vinta e continuò a sfidare il porcospino.

Avanti e indietro, avanti e indietro!

La lepre ce la metteva davvero tutta ma, corsa dopo corsa, diventava sempre più stanca e più lenta. Non poteva certo ammettere di essere diventata così lenta!

Ma ogni volta, inesorabile, uno dei due porcospini l'aspettava al traguardo per comunicarle la sua sconfitta.

"Devi sapere, cara lepre, che mio nonno era il porcospino più veloce dei suoi tempi. Non vinceva monete d'oro, ma mele e dopo ogni corsa se le mangiava! Io invece non voglio mangiare mele come lui, voglio quella bella moneta d'oro che mi hai promesso!" disse il porcospino, chissà quale dei due fratelli!

La lepre, ormai sfinita, si lasciò cadere a terra: la testa le girava e aveva le gambe dure e legnose.

"Questa corsa sarà la mia fine, morirò qui, su questo campo dove credevo di essere tanto veloce. Che vergogna, che umiliazione!" si lamentò.

Con la bava alla bocca, si trascinò fino a casa per prendere la moneta d'oro che non avrebbe mai creduto di dover perdere e la consegnò al porcospino con le lacrime agli occhi.

"Per fortuna mio nonno è morto e non può vedermi! Chissà cosa direbbe nel vedermi umiliata così, battuta da un porcospino, dopo che lui mi aveva insegnato così bene a correre veloce!"

Quella sera in casa dei porcospini ci fu una grande festa: a turno i due gemelli ballarono alzando in segno di trionfo la moneta conquistata.

La lepre era stata davvero antipatica a prendere in giro il porcospino e aveva ricevuto ciò che meritava. La sua superbia non le portò altro che delusione!

Per fortuna il segreto della corsa truccata non giunse mai alle orecchie della lepre altrimenti… non avrebbe mai imparato la lezione!

La lepre e l'elefante

C'era una volta, in una foresta indiana, un elefantino ancora giovane che stava spesso con una grossa lepre. I due, nonostante la differenza di taglia, avevano fatto amicizia e si divertivano a giocare e a scherzare insieme.

Fu la lepre un giorno a dire all'amico: "Secondo te chi è più grosso fra noi due?". Nel sentire la domanda assurda, all'elefantino andò quasi di traverso la banana che stava mangiando.

"Ma vuoi scherzare? Se quando ti alzi in piedi non mi arrivi neanche al ginocchio!" rise l'elefantino.

Ma la lepre insistette: "Questo è quello che pensi tu! Dato che io non sono d'accordo e sostengo che la più grande sono io, occorre un arbitro. Sei d'accordo?".

"Certo!" rispose, sempre più stupito, l'elefantino.

"Bene, allora andremo al villaggio e sentiremo il parere degli uomini che, essendo i più intelligenti fra gli animali, sono i più adatti a fare da giudici."

Quando furono nelle vicinanze del villaggio cominciarono a incontrarne gli abitanti.

"Guardate quell'elefantino! Com'è ancora piccolo!" dicevano alcuni al passaggio della strana coppia.

"È vero, è vero! È molto piccolo, ma diventerà grande anche lui con il tempo, come tutti gli elefanti!" commentavano altri.

Poi qualcuno si accorse della lepre.

"Che grossa lepre!" osservavano tutti. La lepre cercava di camminare davanti all'elefante gonfiando il petto e tutti, al suo passaggio, esclamavano: "Guardate che zampe! E che orecchie! Questa è la lepre più grossa che si sia mai vista!".

La lepre allora si rivolse all'amico e gli disse: "Torniamo indietro! Ormai il nostro problema è risolto: io sono grossa e tu sei piccolo!".

L'elefantino scosse il testone e capì che la lepre lo aveva battuto con l'astuzia e lì per lì non seppe come ribattere. Ma quando furono di nuovo sul sentiero della foresta, vedendo davanti a lui la lepre, alzò la zampa e disse: "Scostati in fretta, prima che la zampa di questo piccolo elefante possa schiacciare una grossa lepre come te!".

Biancaneve
e i sette nani

C'era una volta, in un grande castello, la figlia di un
re, che cresceva felice, nonostante la matrigna fosse
gelosa di lei. La fanciulla era molto bella, azzurri gli
occhi e neri i lunghi capelli. Aveva una carnagione
bianca e delicata e per questo era chiamata Biancaneve.
Tutti pensavano che sarebbe diventata bellissima.
La matrigna, anche se cattiva, era a sua volta molto bella
e uno specchio magico, che ogni giorno lei interrogava, lo confermava.
Alla domanda: "Specchio, specchio delle mie brame, chi è la più bella del
reame?" invariabilmente la risposta era: "Tu, mia Regina!".

Ma un brutto giorno si sentì rispondere: "La più bella
del reame è Biancaneve!".

La donna andò su tutte le furie e, fuori di sé dalla
gelosia, pensò a come liberarsi dalla rivale.

Chiamò un servo fidato e, con la promessa di una
ricompensa, lo convinse a portare Biancaneve
lontano dal castello, nella foresta.

Qui, non visto, avrebbe dovuto ucciderla.
Il servo avido, attratto dal premio,
accettò e portò con sé la povera
fanciulla ignara di tutto.

Ma una volta giunto laddove doveva
compiere il delitto, non ne ebbe il
coraggio e, lasciando Biancaneve
seduta vicino a un albero,
si allontanò con una scusa.

Biancaneve rimase sola. Venne la notte e il servo non tornava.
Biancaneve cominciò a piangere disperata, sola com'era in mezzo al buio
della foresta. Le sembrava che da ogni parte occhi terribili la spiassero, sentiva
intorno a sé fruscii e rumori che la riempivano di paura.
Alla fine, vinta dalla stanchezza, si addormentò rannicchiata sotto un albero.
Dormì di un sonno agitato, svegliandosi di tanto in tanto di soprassalto per
guardare con gli occhi sbarrati il buio che la circondava.
Finalmente l'alba svegliò la foresta come ogni giorno col canto degli uccelli
e anche Biancaneve si destò. Tutto un mondo si risvegliava alla vita e
la fanciulla, felice, si accorse di quanto fossero state irragionevoli le sue paure.
Intorno a lei però gli alberi fitti sembravano un muro impenetrabile.
La ragazza, che cercava di orientarsi, trovò per caso un sentiero e si mise
a seguirlo piena di speranza. Cammina cammina, sbucò in una radura dove
c'era una strana casetta: piccola la porta, piccole le finestre, piccolo il camino.
Insomma tutto sembrava più piccolo del solito.

Biancaneve, chinandosi, spinse la porta
ed entrò. "Chissà chi ci abita? Oh! Come
sono piccoli questi piatti! E anche questi
cucchiai! Devono essere in sette, perché vedo che il tavolo è apparecchiato
per sette!" si disse curiosando in cucina. Al piano superiore trovò una stanza
con sette lettini tutti ordinati. Scesa in cucina, Biancaneve ebbe un'idea.
"Preparerò loro qualcosa da mangiare, così quando torneranno saranno
contenti di trovare una cenetta calda pronta ad aspettarli!"
Verso l'imbrunire, sette piccoli ometti tornarono cantando alla casetta.
Ma quando aprirono la porta, videro stupefatti una zuppa fumante pronta
sul loro tavolo e la casa tutta pulita e rassettata.

Salirono al piano di sopra e, rannicchiata su un lettino, trovarono
Biancaneve addormentata. Quello che sembrava il loro capo la toccò
delicatamente. "Chi sei?" le chiese.
Biancaneve raccontò la sua triste storia e grossi lucciconi comparvero
negli occhi dei sette nani finché, soffiandosi rumorosamente il naso, uno
di loro propose anche a nome degli altri: "Resta con noi!".
"Evviva, evviva!" urlarono allora tutti e si misero a ballare felici intorno
a Biancaneve. Il suono della fisarmonica e i canti dell'allegra compagnia
richiamarono la curiosità degli abitanti del bosco e tutti gli animali diedero
il benvenuto alla dolce fanciulla.

I nani avevano detto a Biancaneve: "Puoi vivere qui e occuparti della casa, mentre noi siamo nella miniera. Non devi più aver paura, noi ti vogliamo bene e ti proteggeremo dalla perfida matrigna!".

La fanciulla, commossa, accettò l'ospitalità e il giorno dopo i nani, come ogni mattina, si recarono al lavoro raccomandando a Biancaneve di non aprire a nessun estraneo.

Intanto il servo, che era tornato al castello, aveva portato alla matrigna il cuore di un cerbiatto, dicendo che era quello di Biancaneve per avere il premio. La donna, soddisfatta, aveva interrogato lo specchio, ma questo la deluse subito: "La più bella del reame è ancora Biancaneve che vive nella foresta, nella casetta dei sette nani!".

La matrigna si infuriò. "Deve morire a tutti i costi!" si mise a urlare e, dopo essersi travestita da vecchia contadina, avvelenò una bella mela rossa e la mise nel cestino, insieme a delle altre.

Poi, per raggiungere più in fretta la casetta, attraversò la palude che costeggiava la foresta e, non vista, arrivò proprio mentre Biancaneve salutava i nani che andavano in miniera.

Biancaneve era in cucina, quando sentì bussare. Toc! Toc!

"Chi è?" chiese sospettosa, ricordando le raccomandazioni dei nani.

"Sono una contadina e vendo mele!" si sentì rispondere.

"Non ho bisogno di mele, grazie!" ribatté a sua volta.

"Ma sono mele molto buone e dolci!" continuò la voce suadente dietro la porta.

"Non devo aprire a nessuno!" insistette la fanciulla, che non voleva disobbedire ai consigli dei suoi amici.

"Hai ragione! Se hai promesso di non aprire a estranei, è giusto che tu non compri niente. Sei proprio una brava ragazza! Anzi, per premiare la tua obbedienza ti regalerò una mela!"

Senza riflettere, Biancaneve socchiuse la porta per accettare il regalo.

"Ecco, tieni! Senti come sono buone queste mele!"

Biancaneve addentò il frutto ma, dopo il primo morso, cadde svenuta.

La matrigna, ghignando soddisfatta, si allontanò mentre la povera fanciulla diventava sempre più pallida. Ma un crudele destino attendeva la cattiva matrigna: nel riattraversare di corsa la palude, mise un piede in fallo e cadde nelle sabbie mobili. Nessuno accorse alle sue invocazioni di soccorso e lei scomparve senza lasciar traccia.

Intanto nella miniera il più vecchio dei nani aveva uno strano presentimento. Preoccupato senza sapere perché, uscì mentre il cielo si incupiva e forti tuoni risuonavano tra le valli.

"Sta arrivando un forte temporale! Forse Biancaneve avrà paura…" si disse e chiamò a gran voce gli altri. "Corriamo a casa! Corriamo da Biancaneve!"

Improvvisamente ebbero
paura, ma non per i tuoni
e i lampi che squarciavano
il cielo nero. Qualcosa
stringeva i loro cuori come
un terribile presagio…
Corsero più presto che
potevano su per la montagna,
ma quando arrivarono alla casetta
trovarono Biancaneve ormai priva di vita.
I nani non sapevano che cosa era successo,
ma videro la mela morsa e capirono.
Piangendo disperati, vegliarono
Biancaneve che avevano disteso su un tappeto di rose.
Poi la portarono nel bosco e la chiusero in una
bara di cristallo. Ogni giorno, tornando
dal lavoro, le lasciavano un fiore.
Ma una sera trovarono uno straniero
inginocchiato ad ammirare il viso
bellissimo di Biancaneve.

Il Principe, poiché di un principe si trattava, dopo aver ascoltato tutta
la storia, suggerì: "Se mi permettete di portarla al castello, chiamerò i medici
di corte per curarla e svegliarla da questo strano sonno. È così bella! Vorrei
darle un bacio!". Così dicendo, il ragazzo posò delicatamente le sue labbra
sulla fronte di Biancaneve.
Ma per incanto, il bacio del Principe annullò il maleficio e, fra lo stupore
di tutti, Biancaneve aprì gli occhi. La fanciulla era tornata alla vita!
Il Principe innamorato chiese subito di poterla sposare e così,
anche se a malincuore, i sette nani si separarono da lei.
Da allora Biancaneve visse sempre felice in un grande
castello e ogni volta che poteva andava nel
bosco a trovare i suoi amici nani.

La bella e la bestia

C'era una volta un mercante che, dovendo partire per un lungo viaggio d'affari, chiese a ognuna delle sue tre figlie che cosa volesse in dono al suo ritorno. La prima chiese un vestito di broccato, la seconda una collana di perle e la terza, che si chiamava Bella ed era la più giovane, la più graziosa e anche la più gentile, disse al padre: "Mi basterà una rosa colta con le tue mani!".

Il mercante partì e, sistemati i suoi affari, si mise sulla via del ritorno, ma una bufera lo colse all'improvviso. Il vento fischiava gelido e il suo cavallo avanzava a fatica. Stanco e infreddolito, a un tratto vide brillare una luce in mezzo al bosco. Via via che si avvicinava, si accorse che stava raggiungendo un castello tutto illuminato. "Speriamo che possano darmi ospitalità!" si disse speranzoso. Arrivato al portone, si accorse che questo era aperto ma, per quanto chiamasse, nessuno si presentava a riceverlo. Allora, fattosi coraggio entrò. Nel salone principale, sul lungo tavolo, era imbandita una ricca cena, illuminata da due candelabri. Il mercante esitò a lungo, continuando a chiamare gli abitanti del castello, ma poiché nessuno rispondeva si mise a sedere e, affamato com'era, consumò il lauto pasto. Poi, sempre più incuriosito, salì al piano di sopra: su un lungo corridoio si affacciavano saloni e stanze meravigliose e in una di queste scoppiettava un bel fuoco e un letto morbido sembrava invitarlo a riposare. Era tardi e il mercante si lasciò tentare; si distese sul letto e si addormentò. Quando si svegliò la mattina, accanto a lui una mano sconosciuta aveva posto un vassoio d'argento con un fumante bricco di caffè e della frutta. Il mercante fece colazione e scese per ringraziare chi lo aveva generosamente ospitato. Ma, come la sera precedente, non trovò nessuno e, stupito per la strana situazione in cui si era trovato, si avviò per raggiungere il cavallo che aveva lasciato legato a un albero, quando un cespuglio di rose attirò la sua attenzione.

Si ricordò allora della promessa fatta a Bella e, chinandosi, raccolse una rosa. D'improvviso, dal folto del roseto, sbucò una belva orrenda, vestita di bellissimi abiti: due occhi iniettati di sangue e carichi di rabbia lo fissavano minacciosi e una voce terribile lo apostrofò: "Ingrato! Ti ho dato ospitalità, hai mangiato al mio tavolo e dormito nel mio letto e per tutto ringraziamento rubi i miei fiori prediletti? Ti ucciderò per questa tua mancanza di riguardo!".

Il mercante, terrorizzato, si gettò a terra davanti alla Bestia tremando e disse: "Perdonami! Perdonami! Farò qualunque cosa tu mi chieda! La rosa non era per me, era per mia figlia Bella a cui l'avevo promessa!".

La belva ritirò la zampa che aveva già posato sul malcapitato: "Ti lascerò andare a condizione che tu mi porti tua figlia!".

Il mercante, dopo essere stato minacciato di morte sicura se non avesse ubbidito, promise di eseguire l'ordine.

Quando piangendo arrivò a casa, fu accolto dalle tre figlie e dopo aver raccontato la sua spaventosa avventura, Bella lo tranquillizzò subito dicendo: "Padre mio, farei qualsiasi cosa per te! Non preoccuparti, potrai mantenere la tua promessa e avere salva la vita! Accompagnami al castello e io resterò là al posto tuo!". Il padre abbracciò la figlia. "Non ho mai dubitato del tuo amore. Per il momento ti ringrazio di salvarmi la vita. Speriamo che presto riesca a ricambiare il favore…"

Così Bella fu accompagnata al castello e la Bestia accolse la giovane in maniera inaspettata: invece di minacciarla di morte come aveva fatto con il padre, fu stranamente gentile. Bella, che all'inizio aveva provato paura e ribrezzo nel vedere la Bestia, a poco a poco si accorse che, nonostante l'orrenda testa del mostro, non provava più repulsione via via che il tempo passava.

Le era stata assegnata la stanza più bella del castello e la fanciulla passava lunghe ore a ricamare vicino al fuoco. La Bestia, seduta vicino a lei, restava a guardarla in silenzio, poi piano piano cominciò a dirle qualche parola gentile, finché Bella si accorse con stupore di apprezzare la sua conversazione.

I giorni passavano e la confidenza fra le due creature così diverse cresceva, finché un giorno la Bestia osò chiedere a Bella di diventare sua moglie. Bella, sorpresa, dapprima non seppe cosa rispondere. Sposare un mostro così orrendo? Piuttosto la morte! Ma non voleva offendere chi fino allora si era mostrato così gentile
con lei…

E non poteva scordare che sia lei che suo padre avevano avuto salva la vita.
Tuttavia prese coraggio e andò dalla Bestia.
"Non posso proprio accettare!" cominciò con voce tremante. "Vorrei tanto…"
La Bestia la interruppe con un gesto deciso: "Capisco! Capisco! Non temete,
non vi serberò rancore per questo rifiuto!".
E, infatti, la vita di tutti i giorni continuò come prima e l'episodio non ebbe
conseguenze.
Anzi, un giorno la Bestia regalò a Bella un magnifico specchio dal magico
potere: Bella, fissandolo, poteva vedere la sua famiglia lontana.
"In questo modo la vostra solitudine sarà meno pesante!" furono le parole che
accompagnarono il dono.
Bella passava lunghe ore a fissare i suoi cari lontani, ma poi cominciò a essere
in apprensione, finché un giorno la Bestia la trovò in lacrime vicino allo
specchio magico. "Che cosa succede?" si informò con premura come sempre.
"Mio padre è molto malato e sta per morire! Oh! Vorrei tanto poterlo rivedere
prima della fine!" rispose la fanciulla tra i singhiozzi.
La Bestia scosse la testa: "Non è possibile! Mai lascerete questo castello!".
E se ne andò infuriato.

Ma di lì a poco ritornò e con voce grave annunciò a Bella: "Se mi promettete su quello che avete di più caro al mondo che fra sette giorni sarete di nuovo qui, vi lascerò andare da vostro padre!".

Bella, felice, gli si gettò ai piedi: "Prometto! Prometto! Come siete buono, avete reso felice una figlia devota!".

Il padre, che si era ammalato soprattutto per il dispiacere di sapere la figlia prigioniera della Bestia al posto suo, quando poté riabbracciarla si sentì subito meglio e dopo cominciò a ristabilirsi.

La figlia passava lunghe ore con lui, raccontando tutto quanto faceva al castello e gli spiegava anche quanto fosse gentile e premurosa la Bestia.

I giorni passarono veloci e finalmente il padre lasciò il letto guarito.

Bella era finalmente felice, ma non si era accorta che i sette giorni della promessa erano passati e una notte si svegliò di soprassalto per un sogno terribile. Aveva visto la Bestia morente che la invocava rantolando nell'agonia: "Torna! Torna da me!".

Fosse per mantenere la solenne promessa che aveva fatto, fosse per uno strano e inspiegabile affetto che le sembrava di provare per il mostro, decise di partire subito.

"Corri! Corri, cavallo mio!" diceva frustando il destriero che la portava verso il castello, per paura di non arrivare in tempo.

Giunta al castello, salì di corsa le scale chiamando, ma nessuno rispondeva: tutte le stanze erano vuote.

Scese allora in giardino con il cuore in gola e un terribile presentimento; la Bestia era là, appoggiata a un albero, con gli occhi chiusi, come morta. Bella gli si gettò addosso abbracciandola e gridando: "Non morire, ti prego! Non morire! Ti sposerò…".

A queste parole avvenne un prodigio: come per incanto l'orrendo muso della Bestia si trasformò prendendo le sembianze di un bel giovane.

"Quanto ho aspettato questo momento, soffrendo in silenzio senza poter rivelare il mio terribile segreto!" esclamò il ragazzo. "Una strega malefica mi aveva trasformato in un mostro e solo l'amore di una fanciulla che mi avesse accettato come sposo così com'ero, poteva rendermi di nuovo normale. Oh, cara! Se mi vuoi sposare, mi renderai l'uomo più felice del mondo!"

Di lì a poco le nozze furono celebrate e da quel giorno il giovane volle che in suo onore si coltivassero solo rose nel giardino.

Ecco perché ancora oggi quel castello si chiama il "Castello della Rosa".

Il pesciolino d'oro

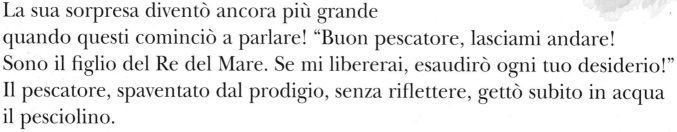

C'era una volta un povero
pescatore che abitava
in un'umile casa in riva
al mare. Un mattino
si recò come sempre,
carico di reti, a pescare.
"Guai a te se torni a mani
vuote!" gli urlò la moglie
brontolona dalla porta.
Aveva appena gettato le reti,
quando vide luccicare qualcosa
in mezzo alle fitte maglie.
Si trattava di un pesciolino giallo,
dalle squame scintillanti. "Che strano
pesce!" si disse, prendendolo in mano.
La sua sorpresa diventò ancora più grande
quando questi cominciò a parlare! "Buon pescatore, lasciami andare!
Sono il figlio del Re del Mare. Se mi libererai, esaudirò ogni tuo desiderio!"
Il pescatore, spaventato dal prodigio, senza riflettere, gettò subito in acqua
il pesciolino.
Ma quando tornò a casa e raccontò l'accaduto alla moglie, fu rimproverato.
"Ma come? Se ti ha detto che poteva esaudire ogni tuo desiderio, prima
di liberarlo, dovevi chiedere qualcosa! Torna sulla riva e se lo trovi digli
che ho bisogno di un mastello nuovo. Guarda il nostro come è ridotto!"
Il pover'uomo tornò sulla riva del mare.
Aveva appena chiamato il pesciolino quando si sentì chiamare.
"Sono qui! Eccomi! Mi stavi cercando?" disse questi, spuntando con la testa
fuori dall'acqua.

Il pescatore spiegò il desiderio della moglie e la risposta gentile non si fece attendere. "Sei stato buono con me! Torna a casa e troverai esaudito il tuo desiderio!"
Credendo di aver reso finalmente felice la moglie, il pescatore tornò di corsa a casa sua tutto contento.

Ma, aperta la porta, la moglie lo investì: "Allora è vero che il pesciolino che hai liberato è magico! Guarda! Il mastello vecchio è diventato nuovo! Se però il potere del pesciolino è così grande, non dobbiamo accontentarci di vedere esaudito un così misero desiderio. Corri subito indietro e chiedi una grande casa nuova!".
Fu così che il pescatore tornò di corsa sui suoi passi.
"Chissà se lo troverò ancora! Speriamo che non sia andato via!" pensò e poi si mise a chiamare di nuovo dalla riva: "Pesciolino! Pesciolino!".

"Sono qui! Che cosa vuoi ancora?" si sentì rispondere.

"Sai, mia moglie vorrebbe…"

"Lo immaginavo" disse il pesciolino. "Che cosa vuole adesso?"

"Una grande casa!" mormorò esitante il pescatore.

"Va bene! Sei stato buono con me e sarai accontentato!"

Questa volta il pescatore tornò a casa lentamente, pregustando la soddisfazione di aver reso felice la moglie con la casa nuova. Già intravedeva il tetto nuovo della bella casa, quando la moglie gli venne incontro come una furia.

"Vedi! Adesso che sappiamo quanto è grande il potere del pesciolino, non dobbiamo accontentarci soltanto di una casa! Corri subito a chiedere un vero palazzo, non una casa come questa! E bei vestiti! E anche gioielli!"

Il pescatore ci rimase male.

Ma, abituato da anni a subire le prepotenze della moglie, non seppe dire di no e tornò lentamente in riva al mare.

Questa volta, dubbioso,
si mise a chiamare
il pesciolino, che tardò
un po' a saltar fuori
dalle onde.
Il mare intanto si
era fatto più agitato
di prima...
"Mi spiace importunarti
ancora, ma mia moglie
ci ha ripensato e vorrebbe
un bel palazzo e poi...
degli abiti e poi... anche
alcuni gioielli..."
Anche questa volta il pesciolino
accontentò il pescatore, ma sembrò
meno gentile di prima.
Finalmente, sollevato al pensiero di essere
riuscito ad accontentare
anche questa volta la moglie,
il brav'uomo tornò a casa.
Questa ormai si era
trasformata in una
dimora principesca.
Che meraviglia!
Dall'alto di una
gradinata che portava
al palazzo, sua moglie,
vestita come una gran
dama, carica di
gioielli preziosi, lo
aspettava impaziente...
e brontolona come
sempre!

"Torna indietro e chiedi…"

"Ma come? Guarda, abbiamo un palazzo così bello! Dovremmo accontentarci ormai di ciò che abbiamo! Non credi di esagerare?" osò interrompere questa volta il pescatore.

"Torna indietro, ti ho detto! Obbedisci! Possiamo avere di più! Su, muoviti e chiedi subito di fare di me un'imperatrice!"

Sconsolato e pieno di vergogna, il povero pescatore tornò verso il mare, sul quale nel frattempo si era scatenata una feroce tempesta. Il cielo era diventato nero nero e lampi terribili squarciavano il buio, mentre alte onde rabbiose si infrangevano sulla riva.

Inginocchiato sulla roccia, in mezzo agli spruzzi, chiamò con un fil di voce e a lungo il pesciolino e infine, quando questo comparve, il pover'uomo espose l'ultima richiesta della moglie.

Il pesciolino d'oro, questa volta, dopo aver ascoltato in silenzio, scomparve tra le onde senza rispondere.

Il pescatore aspettò invano, ma il pesciolino non tornò più.

Un lampo più forte degli altri illuminò il cielo e il pescatore si accorse che laggiù dove abitava non c'era più traccia della casa nuova, né del palazzo.

La vecchia casupola era là dove era sempre stata.

Questa volta la moglie lo aspettava piangendo.

"Ben ti sta! Dovevamo accontentarci, non continuare a chiedere, a chiedere sempre di più!" borbottò arrabbiato il brav'uomo.

Ma dentro di sé era felice che tutto fosse tornato come prima.

Il giorno dopo e tutti i giorni che seguirono, continuò a pescare come sempre, ma non rivide più il pesciolino d'oro.

La principessa sul pisello

C'era una volta un principe che non riusciva a trovare moglie perché era di gusti molto difficili e nessuna delle nobili fanciulle che venivano in visita al castello gli piaceva. Cercava una sposa che, oltre a essere bella e di nobili origini, fosse anche la più delicata e la più sensibile delle dame.

Una sera, durante una terribile e improvvisa tempesta, qualcuno bussò con insistenza al portone del castello; il re ordinò a un servo di aprire e, sulla soglia illuminata dai lampi, sotto la pioggia battente, apparve una giovane donna.

"Sono una principessa e chiedo ospitalità per me e il mio paggio; la mia carrozza è rimasta bloccata e il cocchiere non potrà aggiustarla fino a domani."

Nel frattempo anche la madre del principe era accorsa per ricevere l'ospite, ma gli abiti bagnati e infangati della fanciulla non l'avevano convinta.

Pensò allora di accertarsi delle origini della giovane con uno stratagemma. Nella camera per l'ospite fece preparare un letto molto morbido: al materasso fece aggiungere tanti leggerissimi piumini, ma sotto l'ultimo nascose un pisello.

Al mattino la regina chiese all'ospite: "Avete riposato bene? Era morbido il letto?".

La giovane rispose educatamente: "Era un letto morbidissimo, eppure c'era qualcosa di duro sotto il materasso che mi ha tenuta sveglia tutta la notte!".

La madre del principe si scusò per l'inconveniente e corse dal figlio. "Finalmente una vera principessa! Pensa che si è accorta di un pisello che avevo nascosto sotto tutti i piumini e il materasso! Solo una gran dama dalla pelle delicata e sensibile poteva accorgersene" annunciò trionfante. Finalmente il giovane principe aveva trovato la sposa che cercava!

Hansel e Gretel

C'era una volta un povero taglialegna che viveva nella miseria più nera.
Abitava in una piccola casa in mezzo alla foresta insieme ai suoi due figli
Hansel e Gretel.
La sua seconda moglie maltrattava spesso i due bambini e continuava
a ripetere al marito: "In questa casa il cibo non basta per tutti, ci sono troppe
bocche da sfamare! Dovremo liberarci dei due marmocchi!".
E cercava continuamente di convincerlo ad abbandonare
i due figli nella foresta. Gli diceva: "Dovresti lasciarli
lontano da casa, in modo che non trovino più
la strada del ritorno. Qualcuno potrebbe
trovarli e sfamarli al posto nostro!".
Il pover'uomo, avvilito e tormentato,
non sapeva più cosa fare.

Hansel, che una sera aveva sentito i discorsi della matrigna, consolò la sorellina Gretel: "Non preoccuparti, riusciremo a ritrovare la strada di casa anche se ci lasceranno soli nella foresta!".

Uscito di casa di nascosto, si riempì le tasche di sassolini bianchi e poi tornò dentro a dormire.

Quella notte la moglie continuò a insistere più delle altre volte perché il taglialegna abbandonasse i figli, finché all'alba i tre partirono verso il bosco. Ma mentre si inoltravano tra gli alberi, Hansel ogni tanto lasciava cadere dietro di sé un sassolino bianco che risaltava sul suolo della foresta.

A un certo punto i due ragazzi si trovarono soli: il padre, costretto dalla perfidia della matrigna, aveva trovato l'insano coraggio di abbandonarli e con una scusa si era allontanato.

Scese la notte e il taglialegna non era ancora tornato a riprendere i suoi figli. Gretel piangeva disperata e anche Hansel era spaventato, ma cercava di non darlo a vedere e rincuorava la sorella come poteva.

"Non piangere, sorellina,
fidati di me! Ti prometto che ti
riporterò a casa, anche se nostro
padre non torna a prenderci!"
Fortunatamente quella notte c'era
la luna piena e Hansel aspettò che fosse
alta nel cielo, finché la sua luce fredda non filtrò attraverso gli alberi.
"Dammi la mano adesso, vedrai che riusciremo a tornare a casa!"
I sassolini bianchi, illuminati dalla luna, spiccavano nel buio e, seguendoli,
ritrovarono la strada.
Senza svegliare il padre e la matrigna cattiva, entrarono in casa da
una finestra rimasta semiaperta e si infilarono a letto stanchi e infreddoliti,
ma di nuovo tranquilli.
Il giorno dopo la matrigna, quando si accorse del loro ritorno, scoppiò
di rabbia, ma non poteva farlo vedere ai due ragazzi e si rinchiuse nella sua
camera con il marito, litigando furiosamente e rimproverandolo di non aver
eseguito bene i suoi ordini.
Il padre, debole di carattere, protestava combattuto com'era fra la vergogna
che provava per quello che aveva fatto e la paura di disobbedire alla moglie
crudele.
La matrigna per tutto il giorno tenne Hansel e Gretel chiusi a chiave
nella loro stanza. Un po' d'acqua e un tozzo di pane secco furono tutto ciò
che ebbero per cena i due bambini.

Durante la notte, marito e moglie continuarono a litigare e all'alba il padre
aprì la porta ai due ragazzi, ordinando loro di seguirlo nel bosco.
Hansel non aveva mangiato e, quando si inoltrò nel bosco, non trovò
di meglio che lasciare dietro di sé una traccia del percorso seminando
le briciole del suo pezzo di pane.
Ma non aveva fatto i conti con la fame degli uccelli della foresta che, accortisi
di quanto faceva il bambino, si misero a seguirlo saltellando e svolazzando.
E ben presto mangiarono tutte le briciole cadute.
Ancora una volta il taglialegna si allontanò con una scusa, lasciando soli
i due ragazzi.
Hansel tranquillizzò Gretel sussurrando: "Ho lasciato una traccia dietro
di noi, come l'altra volta!".

Ma quando la notte calò e tornarono indietro, si accorsero con terrore che le briciole non c'erano più!

"Ho paura!" piangeva Gretel disperata. "Ho fame, ho freddo e voglio tornare a casa!"

"Non aver paura, ci sono qui io a proteggerti!" cercava di consolarla Hansel, tremando però anche lui nel vedere ombre paurose e occhi minacciosi nel buio intorno a loro.

I due fratellini rimasero tutta la notte ai piedi di un grosso albero, abbracciati per riscaldarsi. Quando spuntò l'alba cominciarono a vagare nel bosco, cercando un sentiero, ma poco a poco la loro speranza svanì: si erano persi. Nonostante ciò, continuarono a camminare, finché tutt'a un tratto, in mezzo a una piccola radura, si trovarono davanti a una straordinaria casetta.

"Ma questo è cioccolato!" disse Hansel staccando un pezzo di intonaco dal muro.

"E questo è zucchero filato!" esclamò Gretel assaggiandone un altro pezzetto. I due bambini affamati si misero a mangiare pezzi di dolce che si staccavano dalla casa.

"Com'è buono!" diceva a bocca piena Gretel, che non aveva mai provato in vita sua ad assaggiare tante ghiottonerie.

"Non ci muoveremo mai più di qui!" rispose Hansel divorando un pezzo di torrone. Stavano per prendere un po' di biscotto dalla porta, quando questa, senza far rumore, si aprì.

"Guarda, guarda come sono golosi questi bambini!" si affacciò a dire una vecchietta dallo sguardo perfido.

"Entrate! Entrate senza paura!" continuò la vecchia.

Purtroppo per Hansel e Gretel, la casa di zucchero era di una strega malvagia che se ne serviva per attirare piccole vittime innocenti…

Hansel e Gretel erano proprio capitati
in un brutto posto.
"Sei magrolino e denutrito!"
disse la vecchia serrando
il catenaccio della gabbia
in cui aveva rinchiuso Hansel.
"Ti ingrasserò per bene
e poi ti mangerò!"
Poi si rivolse a Gretel e la
minacciò: "E tu mi servirai
nelle faccende di casa.
Poi mangerò anche te!".
Ma la vecchia fortunatamente
ci vedeva poco e Gretel unse
col burro i suoi occhiali perché
ci vedesse ancora meno.
"Forza, fammi sentire il tuo ditino!"
chiedeva ogni giorno la vecchia ad
Hansel attraverso le sbarre della gabbia, per

vedere se era ingrassato.
Ma questi si era fatto dare dalla
sorella un ossicino di pollo e,
quando la strega si avvicinava,
porgeva quello invece del dito.
La vecchia brontolava:
"Sei ancora troppo magro!
Ma quando ingrasserai?".
Finché un giorno si stancò
di aspettare.
"Prepara il forno!" ordinò
a Gretel, irrompendo nella
cucina come una furia.
"Oggi faremo un bell'arrosto
di bambino!"

Dopo un po' la strega impaziente e affamata continuò: "Va' a vedere se il forno è già abbastanza caldo!".

Gretel tornò piagnucolando: "Non sono capace di sentire quando è caldo!".

La strega arrabbiata urlò: "Sei una buona a nulla! Vengo io a sentire se il forno è pronto!".

Ma mentre la vecchia affacciata allo sportello controllava se il forno era caldo, Gretel con tutta la sua forza la spinse dentro e chiuse svelta lo sportello di ferro. Finalmente la strega aveva avuto ciò che da tempo si meritava.

Gretel corse subito a liberare il fratello e insieme tornarono al forno per assicurarsi che la porta fosse sempre chiusa, anzi per essere più sicuri aggiunsero al chiavistello un grosso lucchetto. Poi rimasero diversi giorni a mangiare piano piano un po' di casetta, finché rovistando fra le cose della strega trovarono, dentro un grosso uovo di cioccolato, un cofanetto pieno di monete d'oro. "Ormai la strega non tornerà più e questo tesoro lo portiamo via con noi!" disse Hansel.

Prepararono quindi un grosso cesto pieno di provviste e tornarono nel bosco per cercare la via di casa.

Questa volta furono più fortunati e al secondo giorno videro venir loro incontro, dalla casa ritrovata, il padre in lacrime.

"La vostra matrigna è morta!
Tornate con me, figli miei!"
I due bambini
lo abbracciarono.
"Prometti che non
ci lascerai mai più,
mai più!" diceva Gretel
con le braccia intorno
al collo del padre.
Hansel aprì il cofanetto:
"Guarda papà! Siamo
ricchi, non dovrai
più tagliare la legna…".
E da allora vissero felici
e contenti.

La bimba saggia

C'era una volta, nell'immensa steppa russa, un piccolo villaggio in cui
la maggior parte degli abitanti si dedicava all'allevamento dei cavalli.
Era ottobre e, come ogni anno, nella capitale si svolgeva un grande mercato
del bestiame e due fratelli, uno ricco e uno povero, si avviarono verso la città,
il primo in groppa a uno stallone e il secondo a una giumenta.
All'imbrunire fecero tappa vicino a una casupola disabitata e, legati fuori
i cavalli, dormirono profondamente su due mucchi di paglia.
Ma la mattina li aspettava una sorpresa: i cavalli che avevano lasciato fuori,
non erano più due, ma erano diventati tre. Il terzo non era proprio un cavallo,
ma un vispo puledro che la giumenta aveva partorito durante la notte.
Appena aveva avuto la forza di drizzarsi sulle zampe, succhiato un po' di latte
dalla madre, aveva cominciato a fare i primi passi.

80

Lo stallone lo salutò con un allegro nitrito e fu vicino a lui che la mattina
i due fratelli lo trovarono.

"È mio!" disse subito Dimitri, il fratello ricco. "È figlio del mio stallone!"

Ivan, il fratello povero, si mise a ridere: "Nessuno ha mai visto uno stallone
partorire! Il puledro è sicuramente figlio della mia giumenta!".

"No! Non è vero! L'abbiamo trovato vicino allo stallone, quindi è suo figlio
e perciò mi appartiene!"

I due fratelli cominciarono a litigare e decisero di andare in città a chiedere
giustizia ai giudici. Sempre litigando si diressero verso la grande piazza dove
sorgeva il tribunale. Non sapevano però che quello era un giorno eccezionale.
Infatti, una volta all'anno, l'imperatore soleva amministrare di persona
la giustizia e riceveva chiunque si presentasse a chiedere ragione.

I due fratelli furono quindi ammessi alla sua presenza ed esposero il loro caso.
Naturalmente l'imperatore non aveva dubbi a chi il puledro appartenesse
realmente e stava per dare ragione al fratello povero. Ma a questi, forse per
l'emozione di trovarsi improvvisamente di fronte al suo imperatore, era venuto
uno strano tic: continuava, guardando il giudice, a fargli l'occhiolino.

L'imperatore trovava questo segno confidenziale non proprio adatto
a un suddito e decise di punirlo per questa sua mancanza di riguardo.
Dopo averli ascoltati entrambi dichiarò che era difficile, anzi impossibile,
stabilire di chi fosse il puledro e, poiché era in vena di divertirsi e amava
gli indovinelli, sia da proporre che da risolvere, fra il ridacchiare dei suoi
consiglieri proclamò: "Dato che non posso assegnare il puledro all'uno
o all'altro, vincerà la causa chi risolverà questi quattro indovinelli.
Qual è la cosa più veloce del mondo? Qual è la più grassa? Qual è la più
morbida? Qual è la più preziosa? Vi ordino di venire al mio palazzo fra
una settimana per darmi una risposta!".
Dimitri, il fratello ricco, cominciò a pensare agli indovinelli appena uscito dal
tribunale. Tornato a casa, si accorse che non poteva chiedere consiglio a nessuno:
viveva solo perché, avaro com'era, non aveva voluto sposarsi per risparmiare.
"Eppure devo trovare qualcuno che mi aiuti, altrimenti perderò il puledro!"
Si ricordò allora di una vicina a cui aveva prestato una moneta d'argento
e che con il passare del tempo e gli interessi maturati, gliene doveva già tre.
Poiché la donna aveva fama di essere molto saggia ma anche molto astuta,
pensò di chiederle consiglio in cambio di uno sconto sul suo debito.
La donna dimostrò subito la sua scaltrezza poiché volle che il debito fosse
annullato in cambio delle sue risposte. Ottenuto l'accordo, diede le sue risposte.

"La cosa più veloce è il cavallo di mio marito: nessuno lo batte nella corsa! La cosa più grassa è il maiale che stiamo allevando: nessuno ne ha mai visto uno così! La cosa più morbida è il piumino che ho fatto con le piume delle mie oche: tutte le mie amiche me lo invidiano! La cosa più preziosa del mondo è il mio nipotino, nato tre mesi fa: nessuno ha mai visto bambino più bello e non lo cederei per tutto l'oro del mondo, quindi è la cosa più preziosa che esista!"
Dimitri non era molto convinto che le risposte della donna fossero quelle giuste e soprattutto soffriva per il credito che aveva dovuto cancellare, ma d'altra parte aveva altre risposte da portare all'imperatore. Pensava a ragione che, se non avesse risposto agli indovinelli, poteva essere punito.
Intanto Ivan, che era vedovo, era tornato alla sua casupola, dove viveva con la figlia che aveva appena sette anni. La piccola rimaneva spesso sola a casa e aveva quindi imparato a rispondere da sola alle domande che le venivano in mente e per questo era molto saggia per la sua età. Il pover'uomo si confidò con la bambina poiché anche lui come il fratello non sapeva trovare da solo la soluzione. La bambina rimase un po' in silenzio ma poi, sicura, rispose:
"Dirai all'imperatore che la cosa più veloce è il vento gelido che arriva in inverno dal nord, che la cosa più grassa è la terra dei nostri campi che dà vita con i suoi frutti agli uomini e agli animali, che la cosa più morbida è la carezza di un bambino e che la cosa più preziosa è l'onestà".

Il giorno dell'udienza i fratelli furono ammessi alla presenza dell'imperatore. Rise rumorosamente nel sentire le sciocche soluzioni date da Dimitri, ma quando arrivò la volta di Ivan si oscurò in viso: le sagge risposte del fratello povero lo avevano messo in imbarazzo, soprattutto l'ultima che si riferiva all'onestà come al dono più prezioso. Sapeva di non essere stato onesto verso il pover'uomo non avendogli dato ragione, ma non voleva ammetterlo di fronte ai suoi cortigiani e chiese arrabbiato: "Chi ti ha suggerito queste spiegazioni?". Ivan spiegò che era stata la figlia.

L'imperatore sentenziò: "Voglio che tu sia premiato per avere una figlia così intelligente. Ti verrà assegnato il puledro che tuo fratello pretende e inoltre riceverai cento monete d'argento. Però…". E qui si rivolse ammiccando verso i suoi consiglieri e poi continuò: "Fra sette giorni tornerai davanti a me insieme a tua figlia che, poiché è molto saggia, dovrà presentarsi a corte né nuda né vestita, né a piedi né a cavallo, né con doni né senza. Se così sarà, avrai il compenso promesso, altrimenti ti sarà tagliata la testa per la tua impudenza!".

I consiglieri si misero a ridere, sapendo che nessuno aveva mai risolto questo indovinello e il povero Ivan se ne tornò a casa disperato con le lacrime agli occhi. Ma quando ebbe spiegato il quesito alla figlia, questa non si scompose e disse: "Domani dovrai catturare una lepre e una pernice. Ma che siano vive, mi raccomando! Lascia fare a me e avrai il tuo puledro e anche le cento monete!".

Ivan andò a cercare i due animali: non sapeva a cosa sarebbero serviti, ma aveva piena fiducia nella saggezza della figlia.

Il giorno dell'udienza la reggia era molto affollata in attesa dell'arrivo di Ivan e di sua figlia. E finalmente questa arrivò con addosso una rete, in groppa alla lepre e con in mano la pernice. Quindi né nuda né vestita, né a piedi né a cavallo.

L'imperatore, accigliato, disse: "Ma io ho detto né con doni né senza!".

La bambina porse la pernice, il sovrano fece per afferrarla, ma questa volò via.

Quindi anche il terzo
ordine era stato eseguito.
L'imperatore ammirò la bambina
che aveva superato in maniera così
brillante la prova e chiese più gentile:
"È vero che tuo padre è molto povero ed ha assoluto bisogno del puledro?".
La bambina rispose: "Certo, noi viviamo con il ricavato della sua pesca
di lepri nei fiumi e della sua raccolta di pesci sugli alberi!".
"Ah! Ah!" gridò trionfante l'imperatore. "Non sei poi tanto saggia quanto
sembri. Da quando in qua si vedono lepri nei fiumi e pesci sugli alberi?"
Lesta la bimba rispose: "E da quando in qua uno stallone partorisce puledri?".
Il sovrano e tutta la corte si misero a ridere sonoramente come mai era
capitato. Le cento monete d'argento furono subito pagate a Ivan, il puledro
gli fu restituito e l'imperatore proclamò: "Soltanto nel mio regno poteva
nascere una bambina così saggia!".

La lepre e la tartaruga

C'era una volta una lepre che, vantandosi di correre più veloce di chiunque altro, prendeva sempre in giro una tartaruga per la sua lentezza, finché questa, seccata, le rispose: "Ma chi credi di essere? Sì, d'accordo, correrai veloce, ma anche tu puoi essere battuta!".

La lepre si mise a ridere: "Battuta nella corsa? Da chi? Forse da te? Non c'è nessuno che possa battermi, tanto sono veloce! Scommetterei qualsiasi cosa, vuoi provare tu?".

La tartaruga, infastidita da tanta presunzione, accettò la sfida. Fissato il percorso, all'alba della mattina dopo si trovarono alla partenza. La lepre sbadigliava insonnolita mentre piano piano la tartaruga, rassegnata, si avviava. Vista la lentezza dell'avversario, la lepre, a cui si chiudevano gli occhi dal sonno, pensò di farsi un pisolino. "Vai pure avanti tranquilla, poi in quattro salti ti raggiungo!" disse.

Dormì di un sonno agitato finché, svegliatasi di soprassalto, cercò con gli occhi la tartaruga, ma questa era ancora vicina: non aveva fatto neanche un terzo del cammino.

La lepre allora, tranquillizzata, pensò che aveva tutto il tempo per far colazione e, visti dei cavoli in un campo vicino, si mise a mangiare con appetito. Ma a causa del pasto abbondante e per il calore del sole ormai alto, si sentiva di nuovo insonnolita.

Diede un'occhiata distratta alla tartaruga che era arrivata a metà del percorso e decise di schiacciare un altro sonnellino prima di raggiungere il traguardo.

Si addormentò sorridendo, pensando alla faccia della tartaruga quando l'avrebbe superata, e dopo un po' russava felice.

Il sole aveva cominciato la sua discesa verso l'orizzonte e la tartaruga, che dal mattino arrancava lenta verso il suo traguardo, era arrivata a poco più di un metro dalla fine del percorso.

Fu allora che la lepre si svegliò di colpo spaventata: vide la tartaruga lontano, lontano, e si lanciò di corsa all'inseguimento.

Muovendo veloci le lunghe zampe, avanti e indietro, affannata, con la lingua fuori, la lepre stava per raggiungerla.

Ancora un po' e ce l'avrebbe fatta!

Ma l'ultimo balzo non fu sufficiente perché la tartaruga aveva appena passato il segno che avevano posto come traguardo. Povera lepre! Stanca e umiliata si accasciò vicino all'avversaria che la guardava sorridendo in silenzio, finché si sentì dire: "Chi va piano, va sano e va lontano!".

La volpe e la cicogna

C'era una volta una volpe che, fatta amicizia con una cicogna, pensò bene di invitarla a pranzo. Ma quando si trovò a decidere cosa servire all'ospite, ebbe l'idea di giocare uno scherzo alla cicogna.

Preparò un raffinato brodino che versò in due piatti bassi e accolse così l'ospite: "Si accomodi, signora! In suo onore ho preparato qualcosa che non potrà non gradire! Brodo di rane e prezzemolo tritato, sentirà com'è buono!".

"Grazie! Grazie!" rispose contenta la cicogna, annusando il profumo invitante, ma di colpo capì lo scherzo. Il suo lungo becco, per quanti sforzi facesse, non riusciva a bere dal basso piatto di brodo, mentre la volpe con un risolino continuava a invitarla: "Beva! Beva! Le piace?".

Alla povera cicogna non restò che fare buon viso a cattivo gioco e con finta indifferenza rispose: "Mi è venuto un terribile mal di testa che mi ha fatto passare completamente l'appetito!".

La volpe premurosa si affrettò a risponderle: "Come mi dispiace! Un così buon brodo! Peccato proprio, sarà per un'altra volta!".

La cicogna pronta raccolse l'idea: "Ecco brava! La prossima volta faremo un altro pranzo, però sarò io a invitarla!".

E, detto questo, salutò l'amica e se ne andò a casa.

Il giorno seguente la volpe trovò sulla porta di casa un biglietto cortese con il quale la cicogna la invitava a pranzo.

"Che gentile!" pensò la volpe. "Non si è neanche offesa per lo scherzo che le ho fatto! È proprio una gran signora!"

La casa della cicogna non era così ben arredata come quella della volpe e la padrona di casa si scusò: "La mia casa è molto più semplice della sua, però in compenso le ho preparato un pranzo speciale: granchiolini di fiume al vino bianco e bacche di ginepro!".

La volpe, pregustando queste prelibatezze, passò la lunga lingua da un lato all'altro della bocca e accostò il muso al vaso alto che la cicogna le porgeva. Ma per quanto facesse non riusciva ad assaggiare il cibo che stava in fondo, perché il suo muso non entrava nell'apertura troppo stretta del vaso.

La cicogna invece, col lungo becco, mangiava allegramente.

"Assaggi, assaggi. Le piace?" chiedeva la cicogna, continuando a masticare.

La povera volpe, beffata e confusa, non ebbe neanche la prontezza di spirito di inventare una scusa che giustificasse il suo forzato digiuno. Quella sera, rigirandosi insonne e affamata nel letto, ripensando al pranzo non consumato, si disse rassegnata: "Dovevo aspettarmelo!".

Il gallo, il gatto e il topolino

C'era una volta un topolino che decise di girare il mondo. Preparò un po'
di provviste per il viaggio, chiuse bene la porta di casa e partì per l'avventura.
Alberi altissimi, campagne immense, fiori profumati… Com'era bello il mondo!
Cammina cammina, una sera si trovò vicino alla casa di un contadino e dopo
essersi riposato qualche istante ed essersi sfamato con un po' del cibo che
aveva portato con sé, decise di dare un'occhiata a quella che a lui, che non
ne aveva mai viste, sembrava una strana costruzione.

Così
si avvicinò
all'aia e il suo
stupore aumentò
ancora: davanti
a lui stavano due
animali sconosciuti.
Il primo era grande,
bello, tutto coperto da un
morbido pelo, aveva quattro
zampe e dei bei baffi bianchi
che gli davano un'aria molto
seria e rispettabile e sonnecchiava
appoggiato al muro. L'altro con solo
due gambe, il piumaggio giallo, rosso e
verde, aveva invece un'aria arcigna e feroce.
Sulla testa, sormontata da una cresta rossa,
due occhi crudeli fissavano sospettosi il topolino.
"Come sta? Come sta, signor, signor…" aveva cominciato il topo per salutare
lo strano animale, imbarazzato per non conoscerne il nome giusto.
Ma l'altro gonfiò il petto, ne fece uscire un fragoroso "chicchirichì" e poi si
avvicinò al topo terrorizzato. Il topolino vedeva avvicinarsi l'enorme becco
giallo verso di lui e, paralizzato dalla paura, urlò: "Devo scappare!".
E corse via più veloce che poteva. Vide un buco nel muro e ci sì infilò dentro:
tre facce stupite lo fissarono in silenzio, chiedendo: "Da dove vieni?!".
"Vengo da molto lontano!" rispose quello ancora affannato. "Voi chi siete?"
"Noi siamo topi campagnoli! Questa è la nostra casa! Racconta, racconta!"
Il topolino raccontò e descrisse l'incontro nel cortile con i due animali, l'uno
bello e innocuo, l'altro invece variopinto e feroce.
I tre topi si misero a ridere. "Calmati e prendi una tazza di tè! Non sai che
pericolo hai corso! Quello che ti ha spaventato era solo un gallo. Di lui non
c'è da avere paura! L'altro invece, quello che ti sembrava bello e buono è un
gatto, il nostro peggiore nemico. A quest'ora non saresti qui se ti avesse visto!
Come vedi, non sempre ci si può fidare delle apparenze!"

Il lupo e la gru

C'era una volta un lupo conosciuto per la sua ferocia
che, un giorno, fu punito dalla sua stessa ingordigia.
Nel divorare un agnello, un ossicino appuntito gli
si conficcò nella gola: da quel giorno non riuscì più
a inghiottire niente, solo qualche sorso d'acqua che
però non alleviava né il dolore, né la fame.
Per quanto facesse, il fastidioso ossicino non se ne
andava finché, disperato, si mise a chiedere aiuto a
tutti quelli che conosceva. Ma tutti erano impauriti
dalla sua terribile fama e, o con una scusa o con l'altra,
cercavano di stargli alla larga o rifiutavano di aiutarlo.
Finché la volpe, da dietro la porta sbarrata della sua
casa, gli consigliò: "Non posso aprirti perché sono
malata, ma ti consiglio di andare dalla gru, in fondo allo
stagno grande. Dicono sia il miglior dottore della zona!".
Ormai sconsolato e senza speranze, il lupo si avviò
a cercare la gru e quando arrivò alla sua casa, cercò
di essere il più gentile possibile. "Cara gru, ho sentito
parlare della tua bravura e se riuscirai ad aiutare
anche me, avrai una grossa ricompensa" disse.
La gru, che conosceva la fama del lupo, dapprima era
impaurita ma poi, lusingata di poter curare un malato
così famoso e forse anche per la ricompensa promessa,
si lasciò convincere.
Il lupo aprì la grossa bocca: all'idea di guardare
dentro quelle fauci rosse dai denti taglienti,
la gru si sentì rabbrividire, ma poi
si fece coraggio.

"Mi raccomando, tieni sempre la bocca ben aperta anche se ti farò male, altrimenti non potrò toglierti l'osso!"

Detto questo, introdusse la testa dal lungo becco dentro la gola, finché riuscì ad afferrare e a estrarre il malefico ossicino. "Ecco fatto! Adesso puoi richiudere la bocca e inghiottire tutto quello che vuoi senza paura!" concluse la gru.

Il lupo non credeva ai suoi occhi: finalmente si sentiva la gola libera!

Aprì e chiuse più volte le mascelle: tutto a posto! Era tornato il lupo di prima!

Allora la gru disse: "Hai visto come sono stata brava? Non hai sentito niente!".

E poi continuò: "E per la mia ricompensa…".

Il lupo la interruppe torvo: "La ricompensa?! Dovresti ringraziarmi di non averti mozzato la testa mentre era nella mia gola! Sono io che dovrei avere da te un premio, per averti risparmiato la vita!".

Nel vedere lo sguardo feroce della belva, la gru capì il pericolo che stava correndo: da un lupo tanto malvagio non poteva aspettarsi di meglio e decise in cuor suo che da quel giorno avrebbe curato solo malati incapaci di minacciarla!

Il lupo e l'agnello

C'era una volta in una foresta un lupo che aveva la fama di essere prepotente e feroce.

Spinta dalla sete, la belva arrivò a un ruscello e, mentre beveva lunghi sorsi d'acqua limpida, si accorse che più in basso un agnello si abbeverava.

Nel vedere la bestiola indifesa, decise di mangiarsela.

"Com'è grassoccio! E come deve essere tenero! Uhmmm… che buono sarà! È tanto tempo che non mi capitava una fortuna simile! Devo trovare un pretesto per attaccar lite, così nessuno potrà permettersi di dire che l'ho mangiato senza motivo" pensava.

L'agnellino, ignaro, continuava a bere tranquillamente, quando sentì una voce cavernosa sopra di lui: "Ehi, tu laggiù! Hai sporcato l'acqua che sto bevendo!".

Sorpresa, la bestiola rispose: "Mi scusi, signor lupo, ma è impossibile che io le sporchi l'acqua. Mi trovo più in basso e l'acqua scende, non sale!".

Il lupo bugiardo lì per lì rimase confuso e cercò prontamente un'altra scusa che giustificasse la sua ira.

"Ho saputo che sei mesi fa, sei andato a raccontare a tutti che sono prepotente e violento!" tuonò allora.

L'agnellino, impaurito, cominciò a tremare e con un fil di voce rispose: "Ma signor lupo, come può pensare una cosa simile? Le assicuro che non ho mai sparlato di lei, anzi, se mi capiterà in futuro non potrò che dirne bene!".

Poi si ricordò felice che poteva dimostrare alla belva la sua innocenza e disse: "E in realtà le devo dire che sei mesi fa non ero ancora nato! Ecco la prova che non posso aver detto male di lei!".

Ma il lupo, che era impaziente di divorare la sua vittima non lo lasciò neanche finire e gridò: "Se non sei stato tu a dir male di me, sarà stato tuo padre!". E, detto questo, si gettò sul candido agnellino, sbranandolo con voracità.

Purtroppo non sempre l'innocenza basta a salvarci dalla prepotenza.

La volpe e l'uva

C'era una volta un bosco dove viveva una volpe molto lesta e molto
furba. Conigli, topi, uccelli e tutti gli altri animali scappavano al suo
apparire, sapendo quanto fosse crudele e insaziabile.

A poco a poco, poiché tutte le sue prede, temendola, cercavano di starle
alla larga, si trovò costretta ad avvicinarsi alle case degli uomini per
trovare qualcosa da mangiare.

La prima volta fu fortunata: vicino alla casa isolata di un contadino,
un pollaio dallo steccato basso le permise di far razzia. "Come sono
sciocchi questi uomini! Lasciare delle galline così tenere e grasse
incustodite!" si disse allontanandosi con la bocca ancora piena di penne.

Alcuni giorni dopo, affamata, decise di visitare ancora il pollaio.

Si avvicinò allo steccato e, benché un filo di fumo uscisse dal camino,
non sentì né voci, né rumori. Spiccò un gran salto e fu dentro al pollaio:
le galline, starnazzando, scappavano di qua e di là e la volpe ne aveva
già afferrata una, quando un sasso la colpì al fianco.

"Brutta bestiaccia! Ti ho preso finalmente!" urlava un uomo con un
bastone in mano. Come se non bastasse, un grosso cane arrivò di corsa,
ringhiando rabbioso e la volpe, lasciata andare la gallina che aveva in
bocca, cercò di saltare di nuovo lo steccato.

Lo spavento le aveva forse diminuito
le forze perché al primo tentativo il salto
non le riuscì. Sentiva già i denti aguzzi del cane
addentarle un orecchio quando, in un ultimo disperato
tentativo, riuscì a saltare lo steccato.
Anche dopo, urla e sassi la inseguirono e la volpe pesta e dolorante
corse verso il bosco. Giunta a un'altura vicina, si girò per
essere sicura di non essere inseguita e poi disse tra sé:
"Peccato, però! Tutte quelle galline…".
Inghiottì un po' di saliva e sentì più forti
i crampi della fame. Sopra di lei una vite
stendeva i suoi tralci da cui pendevano grossi
grappoli maturi.
"In mancanza d'altro…" pensò la volpe e saltò
per afferrare un po' d'uva, ma non riuscì
a raggiungerla. Si allontanò un po' per prendere
la rincorsa e saltò ancora. Niente! Un altro salto
fu senza esito e, per quanto facesse, i grappoli
erano sempre irraggiungibili.
"Cra! Cra! Cra!" ghignava dall'alto una
cornacchia, deridendo la volpe delusa.
"Quest'uva è troppo acerba! Non dev'essere
buona… Tornerò quando sarà matura!" disse
a voce alta la volpe e, gonfiando il petto
per darsi un contegno, ancora dolorante per
le botte ricevute e con la pancia vuota, si avviò
verso il bosco.

La cicala e la formica

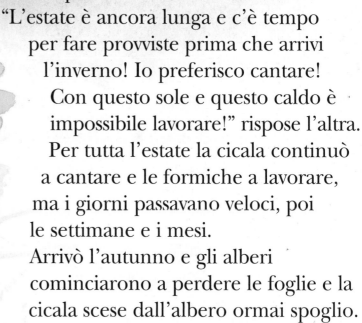

C'era una volta, in una calda estate,
un'allegra cicala che continuava
a cantare sul ramo di un albero,
mentre sotto di lei una lunga fila
di formiche faticava per trasportare
chicchi di grano.

Fra una pausa e l'altra del canto,
la cicala si rivolse alle formiche: "Ma perché lavorate tanto,
venite qui all'ombra a ripararvi dal sole, potremo cantare insieme!".
Ma le formiche, instancabili, senza fermarsi continuavano il loro lavoro…
"Non possiamo! Dobbiamo preparare le provviste per l'inverno! Quando
verrà il freddo e la neve coprirà la terra, non troveremo più niente
da mangiare e solo se avremo le dispense piene
potremo sopravvivere!"

"L'estate è ancora lunga e c'è tempo
per fare provviste prima che arrivi
l'inverno! Io preferisco cantare!
Con questo sole e questo caldo è
impossibile lavorare!" rispose l'altra.
Per tutta l'estate la cicala continuò
a cantare e le formiche a lavorare,
ma i giorni passavano veloci, poi
le settimane e i mesi.
Arrivò l'autunno e gli alberi
cominciarono a perdere le foglie e la
cicala scese dall'albero ormai spoglio.

Anche l'erba diventava sempre più gialla e rada e una mattina la cicala si svegliò tutta infreddolita, mentre i campi erano coperti dalla prima brina. Un gelo improvviso bruciò il verde delle ultime foglie: era arrivato l'inverno. La cicala cominciò a vagare cibandosi di qualche gambo rinsecchito che spuntava ancora dal terreno duro e gelato.

Venne la neve e la cicala non trovò più niente da mangiare: affamata e tremante di freddo, pensava con rimpianto al caldo e ai canti dell'estate. Una sera vide una lucina lontana e si avvicinò affondando nella neve.

"Aprite! Aprite, per favore! Sto morendo di fame! Datemi qualcosa da mangiare!" implorò.

La finestra si aprì e la formica si affacciò: "Chi è? Chi è che bussa?".

"Sono io, la cicala! Ho fame, freddo e sono senza casa!"

"La cicala?! Ah! Mi ricordo di te! Che cosa hai fatto durante l'estate, mentre noi faticavamo per prepararci all'inverno?"

"Io? Cantavo e riempivo del mio canto cielo e terra!"

"Hai cantato?" replicò la formica. "Adesso balla, allora!"

Il cavallo e il lupo

C'era una volta un cavallo che pascolava tranquillo in un grande prato dall'erba verde e tenera. Un lupo affamato, che passava lì vicino, vedendo il cavallo si sentì venire l'acquolina in bocca.

"Che bel cavallo! Come deve essere buona la sua carne! Che belle bistecche potrei mangiarmi! Peccato che sia così grosso, non dev'essere facile batterlo e non so se ci riuscirei, però forse…" diceva tra sé, mentre si avvicinava pian piano al cavallo che continuava a mangiare. "… Forse con l'astuzia posso riuscire ad attaccarlo di sorpresa!"

Ormai vicino, il lupo, cercando di rendere la sua voce il più gentile possibile, cominciò: "Buongiorno, signor Cavallo! Vedo che ha appetito, è buona l'erba? Eppure la trovo un po' pallido… è forse ammalato?".

Il cavallo con la bocca ancora piena, rispose: "Pallido?! No, non si preoccupi, sono bianco e grigio di natura, è il mio colore naturale!".

Il lupo fece finta di non aver capito e continuò: "Sì, sì, lo vedo bene! È proprio pallido! Ha fatto bene il suo padrone a lasciarla libero di rimettersi in forze, pascolando nel prato invece di farla lavorare!".

"Rimettermi in forze? Ma che dice? Io sto benone…"

Il lupo, che intanto aveva fatto un giro intorno al cavallo per studiare da che parte assalirlo, continuò: "Forse lei non lo sa, ma io sono un medico e posso curarla! Se lei mi dice dove sente male, sono sicuro di poterla guarire. Creda a me, si lasci visitare!".

Il cavallo, che di solito non era molto diffidente, di fronte alle insistenze del lupo si era insospettito e decise quindi di stare all'erta.

Il lupo ormai molto vicino cercava il punto più adatto per attaccare, quando il cavallo allarmato esclamò: "Ecco, ecco! Adesso mi ricordo, ho un certo dolore alla zampa posteriore, da molto tempo ho un gonfiore…".

Il lupo senza riflettere si avvicinò alla zampa che nel frattempo il cavallo aveva sollevato a mezz'aria.

Quando il cavallo fu ben sicuro che l'altro fosse nella posizione
giusta, sferrò un gran calcio che colpì il lupo proprio alla mascella,
facendolo rotolare lontano.
"Vuole visitarmi ancora, dottore?" si sentì chiedere il lupo mentre,
ancora intontito dalla botta, cercava di rialzarsi.
"No, no, grazie! Per oggi ne ho abbastanza!"
rispose e se ne andò mogio mogio... senza
più pensare alle bistecche di cavallo!

La rana e il bue

C'era una volta una rana presuntuosa
che non perdeva mai l'occasione per
far vedere alle sue compagne quanto
fosse diversa e migliore di loro.
Se saltavano, lei cercava sempre
di saltare più in alto di tutte, se si
tuffavano voleva essere la prima
a scendere in acqua: insomma, qualsiasi
cosa si facesse, voleva primeggiare.
Un giorno venne ad abbeverarsi vicino al
loro stagno un grosso bue e le rane scapparono
tutte impaurite a nascondersi tra le canne.
Poi, quando si accorsero che il bue non era
pericoloso, si avvicinarono a osservare
la grande bestia. "Com'è grosso!" disse una.
E un'altra esclamò: "Per fare una rana
grande come lui ci vorrebbero mille rane
come noi e forse più!".

La rana
presuntuosa,
che all'avvicinarsi
del bue si era
spaventata più
delle altre, si era
invece tuffata in acqua.
Dopo un po' raggiunse
le altre e, ascoltando i loro
commenti, osservò: "Sì, è più
grande di noi, ma non mi
sembra poi così grosso!".
Le sue compagne non
le dettero retta e allora
la rana boriosa alzò la
voce e, gonfiando il petto,
disse: "Anch'io posso diventare
grande come il bue! Guardate!".
Le rane tutt'intorno si misero a ridere.
"Sei piccola, troppo piccola!" la prendevano in giro le compagne.
La rana allora gonfiò ancora di più il petto.
"Guardate adesso!" disse con un fil di voce per trattenere l'aria.
"Sei ancora piccola!" sghignazzarono le altre.
"E adesso?" sussurrò gonfiandosi ancora di più.
"Il bue è molto più grosso!" si sentì rispondere.
  La rana boriosa e testarda fece un ultimo disperato tentativo: inspirò più
    aria che poteva e si gonfiò, si gonfiò finché… Buuuummmmm! fece
      la pelle tesa scoppiando. Le altre rane stupefatte, si accorsero con
        spavento che la loro compagna era scomparsa.
        Il bue, che aveva alzato la testa nel sentire lo scoppio, si rimise
          a bere tranquillo, mentre le rane si allontanavano commentando:
            "Chi troppo vuole, non ottiene niente…".
            Chi nasce piccolo non deve desiderare di essere come chi nasce
              grande perché questo può portargli solo disgrazie.

Il cane ingordo

C'era una volta un cane che era riuscito a rubare a un macellaio
una grossa bistecca.
Scappato nel bosco per mangiarsela in pace, arrivò sulla riva
di un ruscello e qui vide la sua immagine riflessa nell'acqua.
Non pensò che la figura che l'acqua rispecchiava fosse la sua:
vedeva solo un altro cane con una grossa bistecca in bocca.
Così, ingordo, si tuffò per strappare all'altro il succoso bottino.
Ma, appena entrò in acqua, l'immagine ovviamente si dissolse
e, per quanto cercasse, non trovò più traccia né del cane,
né della carne.
Solo allora si accorse che, abbaiando per impaurire
l'avversario, aveva lasciato cadere la bistecca rubata.
Purtroppo per lui, in quel punto la corrente era veloce
e la carne era stata trascinata via.
La cercò e ricercò, ma non riuscì a ritrovarla.
Alla fine, invece di due bistecche, non gli
rimase niente. È proprio
vero che chi troppo
vuole, nulla stringe!

104

Le capre ostinate

C'erano una volta due capre di montagna che scendevano a valle da due diversi pendii, uno opposto all'altro: sul fondo scorreva impetuoso un grosso torrente.

Per poterlo attraversare, alcuni abitanti avevano collegato i due pendii attraverso un robusto tronco che tempo prima era stato abbattuto da un fulmine.

Le due capre si trovavano una di fronte all'altra sul ponte provvisorio: il problema era che volevano attraversarlo contemporaneamente, anche se era chiaro che il tronco era troppo stretto per permettere alle capre di passare insieme. D'altra parte, nessuna delle due voleva lasciare il passo all'altra. Ostinate, cominciarono a litigare, ma nessuna delle due voleva cedere. Dalle parole passarono presto ai fatti e si presero a cornate finché non precipitarono, tutt'e due com'era inevitabile, nel torrente sottostante.

Come sarebbe stato più facile per una solo di loro dimostrarsi gentile e cedere il passo all'altra!

Il leone e il moscerino

C'era una volta un moscerino piccolo piccolo che, avvicinatosi a un leone, cominciò a infastidirlo. "Vattene via!" brontolò il leone assonnato, dandosi uno schiaffo sulla guancia nel tentativo di scacciarlo.

"Perché dovrei andarmene?" rispose seccato il moscerino. "Tu sarai il re della foresta, ma non il re dell'aria, e io sono libero di volare dove voglio

e di posarmi dove mi pare!" e, così dicendo, andò a solleticargli un orecchio. Il leone si dette una gran botta nella speranza di sorprenderlo e schiacciarlo, ma l'altro volò via lesto, lasciandolo stordito.

"Non lo sento più! Forse l'ho schiacciato, oppure se n'è andato!" pensò soddisfatto il grosso felino. Ma proprio in quel momento il noioso ronzio ricominciò e il moscerino gli si infilò in una narice.

Al colmo della rabbia, il leone si drizzò in piedi e con le zampe cominciò a colpirsi furiosamente il naso, ma l'insetto, sentendosi al sicuro, non si muoveva fino a quando, con gli occhi pieni di lacrime e il naso gonfio, il leone dette un gran starnuto e il moscerino fu scacciato fuori.

Irritato per essere stato allontanato così bruscamente, il moscerino tornò alla carica e… Zzzz… Zzzz… ronzava veloce intorno alla testa del leone. Nonostante la mole e la forza, il leone non riusciva ad afferrare il minuscolo avversario e la sua rabbia cresceva, cresceva finché, inferocito, ruggì in maniera spaventosa. Al suono della terribile voce, tutt'intorno gli animali della foresta scapparono impauriti; al contrario, tutto tranquillo davanti alla belva spossata, il moscerino trionfante annunciò: "Hai visto, re della foresta?! Sei stato battuto da un piccolo moscerino come me! Ah! Ah!". Soddisfatto per la vittoria, volò via. Ma non si accorse di una ragnatela vicina e poco dopo si ritrovò a contorcersi per liberarsi dalla trappola di un grosso ragno. "Puah! Un misero moscerino!" disse questi divorandolo. "Speravo in qualcosa di più grosso… Bah, sempre meglio di niente!" Ecco come finì il vincitore del leone!

Il corvo e la volpe

C'era una volta un corvo che, rubato un pezzo di formaggio, si era appollaiato su un albero per mangiarselo in pace. Una volpe che passava lì vicino, ne sentì il profumo e si fermò sotto la pianta con l'acquolina in bocca. "Formaggio?! Uhmmm, che fame…" si diceva avida e cominciò a pensare al da farsi per impadronirsene. Dopo un po' si rivolse al corvo: "Che bel corvo sei! Non ne ho mai visto uno come te! E che penne lucide, lunghe e folte! E zampe snelle, proprio come si conviene a un uccello nobile! Un becco regale! Ecco cos'hai! Un vero becco da re! Dovrebbero farti Re degli Uccelli!". Il corvo sul ramo, nel sentirsi lodare così, si alzò tronfio sbattendo le ali. La volpe in basso continuava a guardarlo con occhi ammirati e il corvo ricambiava lo sguardo lusingato.

Con voce sempre più dolce la volpe continuò: "E che occhi belli hai! Occhi espressivi, da vero corvo di razza! Per quanto guardi, non vedo nessun difetto in te. Sei proprio perfetto!".
Il corvo, che non era mai stato così adulato, ascoltava beato le parole della sua ammiratrice.
"Non ho ancora sentito la tua voce! Suppongo però che un animale così perfetto possa cantare soltanto in modo meraviglioso!"
Il corvo, che aveva accettato fino allora tutte le adulazioni della volpe senza esitazioni, sentendo lodare anche la sua voce, ebbe qualche dubbio: non aveva mai sentito dire che i corvi cantassero bene, ma in fondo, lui che era un così bel corvo, forse aveva anche una bella voce. Non ci aveva mai pensato, ma forse era proprio così!
Guardò in basso soddisfatto la volpe che intanto continuava: "Su, Re degli Uccelli, fammi sentire il tuo dolce canto…".
A queste parole il corvo non resitette più: aprì il becco e con tutto il fiato che aveva cominciò a gracchiare: "GRA… GRA!".
Il pezzo di formaggio cadde in basso e finì giusto giusto in bocca alla volpe che lo afferrò al volo.
"Me lo sono proprio meritato!" pensò, gustando il boccone prelibato finché, leccandosi i baffi, si rivolse all'uccello e disse: "Stupido corvo! Sei l'uccello più brutto che abbia mai visto, hai la voce più sgradevole che abbia mai sentito, ma soprattutto sei l'uccello più sciocco che abbia mai incontrato! Grazie per il formaggio!". E se ne andò soddisfatta.

Il leone e il topolino

C'era una volta un topolino che si avvicinò a un leone addormentato e, passeggiandogli sul corpo, lo svegliò.

Il leone, furioso, lo afferrò con una zampa e se lo portò vicino alla bocca.

"Maestà, non mi mangiate! Perdonatemi, se mi lasciate andare non solo non vi disturberò più, ma vi sarò riconoscente e ricambierò il favore!"

Il leone, che non voleva affatto mangiarlo ma soltanto spaventarlo, si mise a ridere. "Senti! Senti! Un topo che pensa di fare favori a un leone! Puoi forse aiutarmi mentre vado a caccia? O forse vuoi ruggire al posto mio?"

Il topo era confuso e bofonchiò: "Maestà, veramente io…".

"Va bene, sei libero!" tagliò corto l'altro. Aprì la zampa e il topo scappò.

Qualche giorno dopo il leone cadde in una trappola e si trovò prigioniero di una fitta rete dalle robuste maglie. Per quanti sforzi facesse non riusciva a liberarsi, anzi più si agitava e più si sentiva stringere dalle corde finché, a un certo punto, rimasero impigliate anche le zampe. Ormai non poteva più muoversi: era la fine! In quelle condizioni né la sua forza, né i suoi artigli, né le sue zanne avrebbero potuto liberarlo.

All'improvviso però sentì una vocina. "Maestà, avete bisogno d'aiuto?"

Il leone, spossato dagli sforzi per liberarsi, con gli occhi ancora pieni di lacrime rabbiose, si girò e, vedendo il topino che pochi giorni prima aveva liberato, disse: "Ah! Sei tu! Purtroppo non puoi far niente per me…".

Ma il topolino lo interruppe: "Posso rosicchiare le corde! Ho denti molto forti e, anche se ci metterò un po' di tempo, sono sicuro di farcela!".

I denti taglienti del piccolo roditore lavoravano veloci e di lì a poco il leone ebbe una zampa libera, poi l'altra, finché riuscì a liberarsi completamente. "Avete visto, Maestà? Sono riuscito a ricambiare il favore che mi avete fatto quella volta, lasciandomi andare!"

"Avevi ragione! Mai un animale così grande e forte come me, si è trovato a dovere tanta riconoscenza a un animale piccolo come te!"

Il congresso dei topi

C'era una volta un grosso gatto soriano che, appena giunse in una fattoria, cominciò a spargere il terrore fra i topi che abitavano in cantina.
Nessuno più si azzardava a uscire per paura di finire fra gli artigli del terribile gatto e presto il numero dei topi comiciò a diminuire.
Finché, un giorno, il popolo dei topi decise di riunirsi a congresso per trovare una soluzione che riuscisse a evitare la loro fine.
Approfittando di un'assenza momentanea del felino, topi di tutte le età arrivarono al luogo stabilito per la riunione. Ognuno, pensando di risolvere il problema, suggeriva proposte che però si rivelavano impossibili da attuare.
"Costruiamo una trappola enorme apposta per lui!" suggerì uno.
Scartata questa ipotesi, un altro disse: "E se lo avvelenassimo?".
Ma nessuno conosceva un veleno per gatti.
Una giovane vedova, che aveva perso il marito per colpa del feroce gatto, propose con rabbia: "Tagliamogli le unghie e i denti, così sarà inoffensivo!".
Ma il suggerimento della topina non trovò l'assenso dell'assemblea.
Infine un topo, che aveva fama di essere più saggio degli altri, si arrampicò fin sopra la grossa lanterna che illuminava la riunione e, agitando un campanellino, chiese il silenzio. Tutti tacquero per ascoltare.
"Attaccheremo questo campanellino alla coda del gatto, così, ovunque si trovi, ci rivelerà la sua presenza. Non solo potremo scappare in tempo ma, avvisati in anticipo, anche i più deboli e i più lenti potranno nascondersi!"

Un applauso
scrosciante accolse
le parole del topo saggio
e tutti si complimentarono
con lui per l'idea originale.
"... glielo legheremo tanto stretto
alla coda che non lo perderà mai!"
"... non potrà più arrivare in silenzio
e all'improvviso come fa adesso!
L'altro giorno me lo son trovato
davanti tutt'a un tratto. Pensate che..."
Ma il topo saggio scampanellò
ancora a lungo per calmare il vocio.
"Ora dobbiamo solo decidere chi
andrà ad attaccare il campanello
alla coda del gatto!"
La sala rimase silenziosa, salvo
qualche fievole: "Io non posso
perché...", "Io no!", "Neanch'io...",
"Io andrei volentieri, ma...".
Alla fine non si trovò nessuno con
tanto coraggio da mettere in atto
il piano e la riunione si sciolse senza
decidere niente. Spesso è facile
avere buone idee, molto più
difficile trovare chi le
sappia realizzare...

Cappuccetto Rosso

C'era una volta, in mezzo a un bosco fitto fitto, una bianca casetta dove abitava una bella bambina, che tutti chiamavano Cappuccetto Rosso.

Tutti la conoscevano con questo nome, perché la mamma le aveva cucito una bella mantellina rossa con un simpatico cappuccio.

Una mattina la mamma le disse: "La nonna ha un brutto raffreddore e ora è a letto ammalata. Portale questo cestino pieno di focacce ma, mi raccomando, segui il sentiero nel bosco e fai molta attenzione!".

Poi l'accompagnò fuori e la salutò. Cappuccetto Rosso baciò la mamma e si avviò dicendo: "Non ti preoccupare! Attraverserò il bosco svelta svelta, così arriverò presto a casa della nonna!".

Piena di buone intenzioni, la bambina si diresse verso il bosco
ma, non appena vide un bel cespuglio pieno di fragoline di bosco
mature, si dimenticò delle raccomandazioni della mamma.
"Che belle fragole! Come sono rosse! Devono essere buonissime…" pensò.
Posato il cestino per terra, Cappuccetto Rosso si chinò sulle piantine
e iniziò a raccoglierle. "Mmmh! Che buone! Ancora una! Ancora un'altra!
Questa è l'ultima… Anche questa… Ne porterò qualcuna alla nonna!"
In una piccola radura fra gli alberi, i frutti rossi spiccavano invitanti
e la bambina correva di qua e di là. Improvvisamente si ricordò della
mamma, delle promesse, della nonna, del cestino… e corse indietro
affannata in cerca del sentiero. Finalmente! Il cestino era ancora là:
Cappuccetto Rosso, canterellando, riprese il suo cammino.

Cammina cammina, il bosco era diventato piú fitto.

A un tratto una grossa farfalla volteggiò in un raggio di sole e Cappuccetto Rosso le corse dietro.

Mentre rincorreva la farfalla, vide tra l'erba delle grosse margherite.

"Come siete belle!" esclamò la bambina e, pensando alla nonna, cominciò a raccogliere fiori per farne un bel mazzetto.

Ma due brutti occhiacci la spiavano da dietro gli alberi...

E quando Cappuccetto Rosso sentì degli strani fruscii provenire dal fitto del bosco, il suo cuore cominciò a battere forte forte.

"Devo ritrovare il sentiero e correre via subito!"
si disse la bambina impaurita.

Finalmente arrivò alla strada che aveva lasciato per
raccogliere i fiori, ma proprio mentre riprendeva
il cammino, un vocione sconosciuto le domandò:
"Dove vai, bella bambina, tutta sola nel bosco?".

Si trattava di un grosso lupo tutto nero.

"Vado dalla mia nonna a portarle delle focacce. È malata
e mi aspetta nella sua casetta alla fine di questo sentiero!"
rispose con un fil di voce Cappuccetto Rosso.

Alle parole della bambina, la bestia
chiese gentile: "Tua
nonna vive sola?".

"Sì, vado a farle
compagnia!"
Nel frattempo il lupo
stava ideando un piano...
"Ciao, forse ci
vedremo ancora!"
disse e poi corse via
veloce lungo il sentiero.

Mentre correva, con la lingua fuori un po' per la corsa un po' per l'acquolina in bocca, il lupo pensava: "Prima mangerò la nonna e dopo aspetterò la nipotina!".

Finalmente arrivò in vista della casetta che cercava.

Toc! Toc! Bussò alla porta.

"Chi è?" chiese la nonna dal letto.

Cercando di addolcire il più possibile il suo vocione, la belva rispose:

"Sono io, la tua nipotina Cappuccetto Rosso, sono venuta a trovarti!".

"Entra, cara, la porta è aperta!" disse la nonna senza sospettare niente.

Ma già un'ombra sinistra appariva sul muro... Povera nonna!

Con un balzo il lupo fu su di lei e in un sol boccone se la mangiò!

Più tardi anche Cappuccetto Rosso bussò alla porta della casetta.

"Nonnina, sono Cappuccetto Rosso, posso entrare?" chiese la bambina.

Nel frattempo il lupo si era messo in testa la cuffietta della nonna, aveva indossato il suo scialle e si era infilato nel letto.

"Vieni, cara, la porta è aperta!" rispose poi cercando di imitare la vocina dolce e sottile della vecchietta.

"Ma che vocione hai!" si stupì la bambina.

"Sì, sono molto raffreddata, piccola mia!" rispose il lupo.

"Ma che occhi grandi hai!"

"Per guardarti meglio, piccola mia!"

"Ma che mani grandi hai!" esclamò Cappuccetto Rosso, avvicinandosi al letto.

"Per accarezzarti meglio, piccola mia!" rispose il lupo.

"Ma che bocca grande hai!" mormorò spaventata la bimba.

"Per… mangiarti meglio!" ruggì il lupo.

E, sceso dal letto, spalancò la bocca e in un solo attimo si mangiò Cappuccetto Rosso.

Subito dopo, ormai sazio, si addormentò.

Dal bosco intanto arrivava un cacciatore che, nel vedere la casetta, pensò di fermarsi per chiedere ristoro.

Da tempo inseguiva un grosso lupo che impauriva il vicinato,
ma ultimamente ne aveva perso le tracce.

Ma dalla casa proveniva uno strano fischio e il cacciatore,
insospettito dal rumore, spiò dalla finestra…

… e così vide il grosso lupo che, con la pancia enorme dopo il lauto
pasto, russava sdraiato sul letto della nonna.

"Il lupo?! Questa volta non mi scappa!"

Lentamente, senza far rumore, il cacciatore caricò il fucile e piano piano aprì
la finestra.

Si concentrò, puntò l'arma e… BUUUM! Il lupo era morto!

"Finalmente ti ho preso!" gridò felice il cacciatore. "Non farai più del male
a nessuno!"

Poi tirò fuori un grosso coltello e aprì la pancia della bestia morta.

Quale fu la sua sorpresa nel vedere uscire dal pancione, sane e salve,
Cappuccetto Rosso e la nonnina.

"Siete arrivato appena in tempo!" mormorò la povera vecchietta stordita
da tante emozioni.

La bambina, ancora spaventata, abbracciò la nonna.

"Che paura ho avuto!" disse e poi raccontò tutta la storia al cacciatore.

"Adesso potrai tornare a casa tranquilla, il lupo cattivo è morto per sempre!" la tranquillizzò lui. "E il sentiero è ormai sicuro!"

Più tardi, sull'imbrunire, arrivò affannata la mamma, in ansia per non aver visto tornare la bambina.

Nel vederla sana e salva si mise a piangere dalla gioia.

Cappuccetto Rosso salutò la nonna, ringraziò ancora il cacciatore e poi si avviò verso il bosco in compagnia della mamma.

Mentre passavano svelte in mezzo ai grandi alberi, la piccola raccomandò alla madre: "Seguiamo sempre il sentiero, senza fermarci mai, così non faremo brutti incontri!".

Il pifferaio magico

C'era una volta, nel nord della Germania, una città di nome Hamelin, adagiata vicino alle sponde di un largo fiume.

Era abitata da gente laboriosa che viveva felice nelle case di pietra grigia, addossate intorno al municipio. I giorni, i mesi e gli anni passavano tranquilli e il benessere della città aumentava sempre più.

Ma un giorno quella quiete fu rotta da un avvenimento straordinario…

Topi nella città ce n'erano sempre stati, anche molti, ma non avevano mai rappresentato un vero pericolo per i cittadini di Hamelin.

I gatti, mangiandoli, avevano sempre risolto da soli questo problema.

Ma improvvisamente il numero dei topi aumentò a dismisura e a tal punto che i gatti furono costretti a scappare di fronte all'onda crescente di roditori, sempre più affamati e sempre più grossi.

Ormai il brulicante esercito aveva invaso la città e niente e nessuno riusciva a fermarlo. Per prima cosa, i topi attaccarono i granai e le riserve di provviste e poi, non trovando altro, cominciarono a rosicchiare stoffe, legno e tutto ciò che riuscivano ad addentare: solo il metallo non era pane per i loro denti.

Gli abitanti, terrorizzati, a gran voce chiesero al consiglio della città di liberarli da quel flagello.

Nella sala del sindaco tutti si riunirono per studiare il da farsi.

"Un esercito di gatti, ci vorrebbe!" disse uno. Ma tutti i gatti erano spariti.

"Allora cibo avvelenato…" disse un altro. Ma il cibo nella città ormai era poco, e neanche il veleno bastava a fermare i topi.

"Potremmo scacciarli, tutti insieme, con dei bastoni!" propose qualcun'altro.

"Non ce la faremo mai con le nostre sole forze!" concluse tristemente il sindaco.

In quel momento si sentì bussare con forza alla porta.

"Chi può essere?" si chiesero i notabili impauriti, pensando alla gente inferocita.

Fu aperto con cautela e apparve uno strano tipo, alto e magro, con una lunga piuma sul cappello, vestito con abiti dai colori vivaci e che agitava un flauto davanti agli occhi dei consiglieri sorpresi.

"Ho già liberato altre città da pipistrelli e scarafaggi. Per mille fiorini porterò via tutti i vostri topi!" annunciò.

"Mille fiorini?! Cinquantamila ne avrai, se ci riesci!"

Benché scettico, il sindaco sigillò il patto con una robusta stretta di mano.

Subito dopo lo straniero uscì di corsa dicendo: "Stasera ormai è tardi, ma domani mattina all'alba non avrete più topi!".

Il sole non era ancora sorto, ma già il cielo si tingeva di rosa nelle prime luci del mattino, quando risuonò in ogni strada della città una strana melodia.

Il pifferaio passava lentamente fra le case suonando e, dietro di lui, uno strano corteo via via si ingrossava sempre di più. Topi di tutte le dimensioni uscivano da porte, grate, finestre e seguivano il forestiero in fitte schiere.

Gli abitanti, svegliati dalla melodia, non credevano ai propri occhi.

Sempre suonando, lo strano tipo si avviò
verso il fiume e lentamente entrò nell'acqua fino alla cinta. I topi lo seguirono
a frotte, affogando nella corrente che poi li trascinava via lontano.
Quando il sole era ormai alto, in città non era rimasto un solo topo e la gente
di Hamelin riempì le strade ridendo e saltando per la gioia.
In municipio l'allegria era ancora più grande.
"Sono stato io ad assoldare lo straniero!" si vantava con tutti il sindaco.
In quel momento il forestiero si presentò per incassare la ricompensa.
"Cinquantamila fiorini?! Sei forse impazzito?!" gli fu risposto.
Il pifferaio sdegnato gridò: "Datemi almeno mille fiorini…".
Il sindaco non lo lasciò neppure finire. "Ormai i topi sono
morti e nessuno può farli ritornare, quindi accontentati
di cinquanta fiorini o non riceverai un bel niente…"

Con gli occhi lampeggianti per la collera, il pifferaio puntò minaccioso
il dito verso i consiglieri. "Vi pentirete amaramente di non aver
mantenuto la vostra parola!" tuonò e poi sparì.

Un fremito di paura passò fra i presenti, ma poi il sindaco scoppiò in
una grassa risata e esultò: "Abbiamo risparmiato cinquantamila fiorini!".
Quella notte il sonno dei cittadini, ormai liberato dall'incubo dei topi, sembrò
più profondo del solito tanto che, quando all'alba la strana nenia risuonò
di nuovo, solo i ragazzi la sentirono e, come per incanto, uscirono da tutte
le case. Ancora una volta il pifferaio attraversava la città e questa volta erano
bimbi di tutte le età che lo seguivano in silenzio, attratti dall'incantesimo
di quella strana melodia.

Ben presto il lungo corteo lasciò le strade e, attraverso i boschi e le foreste,
si inoltrò sempre più lontano, fino ai piedi di una grande montagna.
Una volta raggiunte delle rocce scure, il pifferaio suonò ancora più forte
e una grande porta si aprì cigolando su una vasta caverna. Tutti entrarono
dietro di lui e, quando anche l'ultimo ragazzo sparì nell'oscurità, la porta si
richiuse e un'enorme frana scesa dalla montagna coprì per sempre l'entrata.

Solo un piccolo ragazzo zoppo riuscì a salvarsi, perché era rimasto indietro
per il suo lento procedere.
Quando gli abitanti di Hamelin, angosciati dall'improvvisa scomparsa dei figli,
andarono a cercarli, seppero da lui quanto era accaduto.
Per quanto facessero, la montagna non restituì mai gli scomparsi
e per lungo tempo il segno profondo di questa tragedia fece
di Hamelin un luogo triste e silenzioso. Passò molto tempo
prima che la voce di altri bambini allietasse nuovamente
la città, ma il ricordo di quella dura lezione rimase
per sempre nel cuore di tutti.

Il fiumicello e il pioppo

C'era una volta, in una grande foresta del nord della Russia,
un boscaiolo di nome Ivan. Giovane e forte, aveva costruito con
le sue mani una solida casa di legno di cui andava molto fiero.
Quando l'ebbe finita pensò che era giunto il momento di cercare
una moglie, ma purtroppo le ragazze dei dintorni non gli piacevano.
Sognava di incontrare una donna bellissima, alta, bionda, con gli
occhi azzurri e la pelle candida. Con il tempo l'immagine che la sua
fantasia aveva creato era diventata per lui quasi reale: la sognava di notte
e di giorno gli sembrava spesso di vederla apparire mentre, stanco
e sudato, tagliava con potenti colpi d'ascia i tronchi. Nei giorni di festa
si spingeva nei villaggi lontani per cercare una fanciulla che somigliasse
a quella dei suoi sogni. Ma nessuna gli sembrava bella abbastanza.
Il tempo passava e questa ricerca non aveva mai fine.
Il sentiero che lo portava al lavoro passava davanti a una bella casa
dalle persiane verdi. Dietro la finestra, spesso si alzava una tendina
e una ragazza dallo sguardo dolce si attardava a spiarlo:
senza saperlo il boscaiolo aveva acceso
d'amore il suo cuore.

La fanciulla si chiamava Natascia, era molto timida, ma il suo amore era così grande che un giorno trovò il coraggio di aspettarlo lungo il sentiero. "Ho raccolto con le mie mani questo cestino di fragole e sarei felice se tu le mangiassi pensando a me!" disse tutto d'un fiato. "Non è brutta, però non è certamente la donna che cerco io…" pensò Ivan mentre guardava burbero Natascia che nel frattempo era diventata tutta rossa. "Non mi piacciono le fragole! Grazie lo stesso!" rispose secco. Natascia lo guardò allontanarsi, mentre gli occhi le si inumidivano. Qualche giorno dopo, il boscaiolo fu di nuovo fermato dalla ragazza, che gli porse un giubbetto di lana dicendogli: "Quando torni a casa la sera, l'aria è più fredda, questo ti proteggerà. L'ho cucito io!". Alla proposta affettuosa, Ivan rispose superbo: "Che cosa ti fa pensare che un uomo come me abbia paura del freddo?!". Al rifiuto del giovane, due grosse lacrime bagnarono le guance rosse della ragazza che corse via singhiozzando.

Con la forza della disperazione, non volendosi dare per vinta, il giorno dopo aspettò ancora il giovane sul sentiero. Questa volta aveva in mano una bottiglia che offrì al boscaiolo dicendogli: "Questo liquore che ho distillato da tutti i frutti del bosco ti darà forza e vigore e ti farà ricordare che io…". Ivan non la lasciò finire. "Non bevo e non mi piacciono i liquori!" rispose tirando dritto. Però si accorse di essere stato villano e, fatti pochi passi, si girò, ma la ragazza era scomparsa. Strada facendo pensò: "Non è brutta! Ha gli occhi dolci… bei capelli… e poi dev'essere molto buona! Forse devo accettare almeno un suo regalo. Certo non è bella come…".

Improvvisamente la visione della donna dei sogni s'insinuò nei suoi pensieri. Sentì di nuovo una morsa al cuore. "Come sono infelice!" esclamò.

Fu allora che avvenne il miracolo: una donna meravigliosa gli apparve tra gli alberi in una nube dorata. Lunghi capelli d'oro incorniciavano un volto bellissimo e il povero boscaiolo si sentì chiedere da una voce melodiosa: "Sono Rosalka, una fata dei boschi, vuoi cantare per me?".

Ivan non riusciva a staccare gli occhi dallo sguardo dell'incantevole apparizione. "Per tutta la vita canterei per te, se solo potessi…" E tese la mano per toccare la fata, ma subito questa salì più in alto tra i rami. "Forza, che aspetti? Canta! Solo così, ascoltandoti, riuscirò a prender sonno!" ordinò la fata. Allora Ivan, felice, cominciò a cantare nenie e poi continuò con canzoni d'amore, mentre la fata, assonnata, ripeteva all'infinito: "Canta! Canta ancora!".

A sera, con la voce roca, il boscaiolo cercava ancora di conciliare il sonno della fata e, quando arrivò la notte, Rosalka gli chiese ancora: "Canta se mi vuoi bene!". Con la voce flebile, il giovane cantava e pensava: "Sono uno sciocco! Era Natascia la sposa per me, non questa donna che chiede e non dà niente in cambio!".

Ivan, atterrito, provava un vuoto nel cuore sempre più grande e solo la ragazza dallo sguardo dolce lo poteva colmare.

Corse via nella notte, ma una voce maligna gridò: "… non la troverai più! Il pianto l'ha trasformata in un ruscello!".

Era l'alba, quando Ivan bussò alla casa di Natascia. Nessuno rispose. Con terrore si accorse che lì vicino scorreva un piccolo ruscello dall'acqua chiara che prima non c'era. Disperato, immerse il viso nell'acqua urlando: "Come ho potuto, mia dolce Natascia, non accorgermi di te? Come ti amo adesso!". E, con gli occhi al cielo, rivolse una muta preghiera: "Che io possa per sempre rimanere vicino a lei e amarla per l'eternità!".

Per un meraviglioso incantesimo Ivan fu trasformato in un giovane pioppo le cui radici lambivano il ruscello.

Così finalmente Natascia ebbe per sempre vicino il suo amato.

Lo stornello canterino

C'era una volta uno stornello che ogni giorno prendeva lezioni di canto dal cardellino. Il cardellino era molto bravo come maestro e lo stornello era molto volenteroso come allievo.

In poco tempo il canto dello stornello migliorò molto, finché una sera, all'imbrunire, tutti gli abitanti del bosco si riunirono per ascoltarlo. I rami degli alberi erano pieni di pubblico. Anche il tasso, di solito molto pigro, uscì dalla sua tana mentre il ranocchio arrivò affannato dallo stagno lontano.

Lo stornello cominciò a cantare e subito tutti si sentirono più allegri.

Sembrava che la melodia rendesse felici gli
abitanti del bosco che si sentirono più amici
fra loro. Era un canto gioioso e vivace e alla
fine tutti si congratularono con lo stornello.
Una notte di luna piena un usignolo volò sul
ramo più alto di una quercia e cominciò a cantare.
La melodia dell'uccellino, piena di dolci e tristi
note, era commovente.
Fu la volpe, che di solito dormiva poco, la prima a rimanere
incantata ad ascoltarlo. E subito chiamò la lepre: "Vieni! Vieni a sentire!".
Anche lo stornello rimase affascinato dalla dolce melodia. Alla fine tutti
acclamarono l'usignolo come un re per aver cantato così bene.
Lo stornello tornò pieno di vergogna al suo nido: come gli sarebbe piaciuto
cantare come l'usignolo! Si ricordava tutte le note che aveva sentito e quella
notte sognò di essere diventato bravo come l'usignolo.
Nei giorni seguenti si esercitò di nascosto a imitare quel canto così diverso dal
suo. Non c'era nessuno che potesse dare un giudizio sui suoi progressi, ma
una sera pensò che finalmente il suo canto era cambiato e forse era diventato
anche migliore di quello dell'usignolo. Lo stornello invitò tutti ad ascoltare il
suo nuovo concerto e quando furono pronti, orgoglioso, cominciò a cantare.
Ma gli animali del bosco, che conoscevano le note allegre del suo canto,
rimasero delusi e di certo non riconobbero in quello che usciva dal becco
dello stornello neppure le delicate note dell'usignolo.
Piano piano, in silenzio, tutti cominciarono ad andarsene.
Il ranocchio, l'ultimo rimasto, urlò: "Basta! Non sai cantare!". E saltò via.
Il povero stornello guardò in basso e si accorse di essere rimasto solo.
Il giorno dopo, disperato per la brutta figura, volò dal cardellino.
"Che cosa ho combinato, maestro?" gli chiese triste.
"Non devi imitare l'usignolo! Ti servirà di lezione! Devi avere fiducia nel tuo
canto, perché è quello che i tuoi amici vogliono sentire da te!"
"Che cosa devo fare ora?" domandò al cardellino.
"Canta con allegria come sai! Vedrai che tutti ti ascolteranno con gioia!"
Ringraziando, lo stornello volò al suo nido. Aveva capito finalmente che si
è apprezzati solo per quello che si è capaci di fare bene.

Il narciso

C'era una volta nell'antica Grecia un giovane chiamato Narciso, che tutti
ammiravano per la sua meravigliosa bellezza.
Egli andava fiero della perfezione del suo viso e della grazia del suo corpo
e non perdeva occasione, quando passava vicino a uno specchio d'acqua,
di contemplare la sua immagine riflessa.
Passava ore e ore sdraiato ad ammirare estasiato i neri occhi lucenti, la linea
sottile del naso, il disegno sinuoso della bocca, i capelli ricciuti che facevano
corona all'ovale perfetto del suo viso.

Sembrava che uno scultore fosse sceso dal
cielo per creare in quel corpo senza
difetti, dalle membra armoniose,
l'immagine vivente della bellezza.
Un giorno si trovò a
passare vicino a
una roccia a
strapiombo,
dove l'acqua tersa
di un freddo
laghetto di
montagna
rifletteva la
sua immagine
armoniosa.
"Narciso, come
sei bello! Non esiste
sulla terra meraviglia
più grande!
Oh, come
vorrei poterti
baciare!" disse
il giovinetto a se stesso chinandosi ammirato.
Il desiderio di baciare la propria immagine divenne
sempre più forte e Narciso si avvicinò ancora di più
all'acqua, ma perse l'equilibrio e cadde.
Non sapendo nuotare, affogò miseramente e quando
gli dèi si accorsero che la creatura più bella che c'era
sulla terra era morta, vollero che di quel corpo bellissimo
rimanesse un ricordo.
Decisero allora di trasformarlo in un fiore profumato,
che da allora a primavera fiorisce in montagna e che
ancora oggi tutti chiamano con il nome del bel
giovinetto: Narciso.

135

Il principe Rubino

C'era una volta, nella lontana Persia, un mendicante al quale capitò una grande fortuna. Un giorno infatti il fiume che scorreva impetuoso vicino alla capitale, dopo un'alluvione, era tornato nei suoi argini, lasciando sulle rive melma e fango. Fra i detriti il mendicante vide luccicare una pietra rossa, la raccolse e, dopo averla rimirata a lungo, corse da un amico che lavorava nelle cucine del palazzo reale.

"Quante cene mi dai in cambio di questo sasso luccicante?" chiese speranzoso.

"Ma questo è un rubino!" esclamò il cuoco guardando in controluce la pietra. "Devi mostrarlo subito allo Sciah!"

Allora il giorno dopo il mendicante porse la pietra al suo Sovrano, che subito gli domandò: "Dove l'hai trovata?".

"Sulla riva del fiume, in mezzo al fango, Maestà!"

"Uhmmm! Come può il grande fiume aver lasciato un simile tesoro proprio a te, senza motivo? Ti darò un sacco di monete d'oro in cambio di questa pietra. Sei contento?"

Al mendicante, che in vita sua aveva visto solo qualche moneta d'argento, non parve vero di accettare e balbettando rispose: "Que-questo è il giorno più bello della mia vi-vi-ta, Maestà! Vi ringrazio!". E, fatto un inchino, se ne andò.

Lo Sciah prima di riporre soddisfatto la grossa gemma nel forziere in cui conservava i gioielli più preziosi, chiamò Fatima, la sua bellissima figlia, dicendole: "Questo è il rubino più grande che abbia mai visto. Guarda com'è perfetto! Te lo regalerò quando compirai diciotto anni!".
Fatima rimirò compiaciuta la pietra e gettò le braccia al collo del padre. "È splendido, grazie! Sento che mi porterà fortuna!"

Dopo qualche mese arrivò il giorno del compleanno
di Fatima e lo Sciah, come promesso, andò a prendere il rubino.
Ma, appena alzato il coperchio, fece un balzo indietro: dallo scrigno
aperto era uscito un bellissimo giovane. "La pietra che cerchi non
c'è più! Ho preso io il suo posto: sono il Principe Rubino! Ma non
chiedermi il perché di questo prodigio, poiché è un segreto che non posso
svelare!" gli disse questi sorridendo.
Lo Sciah, dopo essersi ripreso dallo stupore, si infuriò: "Avevo una meravigliosa
pietra e in cambio trovo un principe e non posso neanche avere spiegazioni?!".
"Mi dispiace, Maestà, ma niente e nessuno potrà farmi dire perché sono qui!"
Lo Sciah, risentito per la risposta del giovane, trovò subito un modo per
punire la sua arroganza: "Poiché hai preso il posto del mio rubino, d'ora in
avanti tu sarai il mio servo, d'accordo?".

"Certo, Maestà!" rispose il giovane sicuro di sé. "Sono ai vostri ordini!"

"Bene! Ti darò la mia spada d'oro e ti prometto anche la mano di mia figlia Fatima se riuscirai a uccidere il drago della Valle della Morte, che impedisce alle carovane di attraversare la foresta!" disse il Sovrano.

Fino ad allora molti cavalieri e giovani valorosi avevano perso la vita nel vano tentativo di uccidere il terribile drago. Lo Sciah pensava che anche il Principe Rubino avrebbe fatto la stessa fine; se invece fosse riuscito nell'impresa, Fatima avrebbe trovato finalmente un principe valoroso come sposo.

Il Principe, con la spada dello Sciah, si avviò verso la Valle della Morte e quando arrivò davanti alla paurosa foresta si mise a chiamare a gran voce il mostro.

Solo l'eco gli rispose e poi tornò il silenzio assoluto.

Di nuovo il giovane urlò la sua sfida, ma niente, il drago non si vedeva.

Allora il Principe si appoggiò a un albero e stava per addormentarsi, quando un rumore di rami spezzati lo fece balzare in piedi e, mentre la terra tremava, un sibilo spaventoso aumentava via via d'intensità:

il terribile drago stava arrivando.

Impugnata la spada con
entrambe le mani, il giovane
si preparava ad affrontare la lotta.
L'enorme e orribile bestia era davanti
a lui, con le fauci aperte e pronta ad afferrarlo con la zampa dai
lunghi artigli. Contrariamente ai cavalieri che lo avevano preceduto,
il Principe non fu preso dal terrore e, fatto un passo in avanti, assestò un
terribile fendente al collo del drago e poi altri ancora finché lo uccise.
Quando tornò alla reggia con la testa del drago, fu accolto come un eroe
e chiese allo Sciah di mantenere la sua promessa di poter sposare Fatima:
fu accontentato. Ormai tutti erano felici, ma col passare del tempo la curiosità
di Fatima sulle origini dello sposo aumentava sempre di più.

"Non so niente di te!" si lamentava. "Dimmi chi sei e da dove vieni!"
Ogni volta che si sentiva rivolgere queste domande, il Principe
impallidiva e rispondeva scuotendo il capo: "Non posso! Mi dispiace
tanto, ma non posso proprio risponderti! Amore mio, non devi
chiedermi niente altrimenti rischi di perdermi per sempre!".
Il desiderio di conoscere e di sapere continuava a tormentare Fatima.
Fu così che un giorno, mentre si trovavano sulla riva del fiume che
attraversava il grande parco dello Sciah, Fatima si gettò piangente
ai piedi del marito e, singhiozzando, lo pregò ancora una volta di
rivelarle il suo segreto. Il giovane sbiancò, rispondendo: "Non posso!".
Di nuovo Fatima insistette: "Ti prego! Ti prego!".
"Sai che mi è impossibile risponderti…" ribatté lui.
"Dimmi almeno chi era tuo padre!" implorò la Principessa.
Il Principe Rubino sembrò esitare, guardò a lungo la sposa che amava
tanto e le carezzò il capo lentamente, poi decise: "Non voglio che tu soffra
così, se questa incertezza ti è davvero insopportabile ti dirò allora che io…".
Stava per rivelare il segreto, quando un'onda immensa lo trascinò nel fiume
e un vortice lo travolse facendolo scomparire per sempre nell'acqua.

Invano la Principessa, straziata dal dolore, corse lungo la riva del fiume chiamando a gran voce lo scomparso! Niente!

Le acque erano tornate a scorrere lente come se nulla fosse accaduto.

Disperata, Fatima chiamò in aiuto le guardie e accorse anche lo Sciah.

La Principessa non si dava pace e da quel momento piombò in una profonda angoscia, perché capiva che erano state le sue domande a provocare la tragedia.

Un giorno vide arrivare trafelata la sua ancella più fidata che le disse:

"Mia Principessa, questa notte ho visto qualcosa di straordinario! Prima tante piccole luci sono apparse sul fiume, le acque si sono aperte e mille genietti hanno cosparso di fiori la riva, dove bellissimi giovani hanno danzato a lungo in onore di un vecchio che sembrava un Re, seduto su un grande trono d'oro. Ma accanto al trono c'era un giovane con un rubino in fronte, che sembrava…".

Fatima sentì un tuffo al cuore: forse quel giovane era il suo sposo.

Quando arrivò la notte scese in giardino con la sua ancella e si nascose dietro gli alberi. A mezzanotte in punto, come le era stato detto, vide mille luci danzare come lucciole sull'acqua, e finalmente, solenne, vestito con una lunga tunica dorata, un vecchio dalla barba bianca con uno scettro in mano. Fatima riconobbe subito, nel giovane pallido accanto al trono, il suo Principe.

Copertasi il volto con un velo, andò a inchinarsi
davanti al vecchio e si mise a danzare con grazia.
Tutti la osservarono rapiti e un lungo applauso salutò
la fine dell'esibizione. Dal trono si levò allora una
voce: "Ignota danzatrice, chiedi qualsiasi cosa per
averci così divinamente allietato e ti sarà concessa!".
Fatima si strappò il velo dal viso e, indicando il Principe,
chiese con la voce tremante: "Ridammi il mio sposo!".
Il vecchio si alzò in piedi e disse: "Ormai hai la parola del Re
di tutte le acque della Persia e riavrai mio figlio, il Principe Rubino, ma ricorda
sempre il motivo per cui l'hai perso e in futuro cerca di essere più saggia!". Subito
le acque del fiume si aprirono, richiudendosi sul Re dei Fiumi e lasciando sulla
riva Fatima e il Principe Rubino, finalmente felici e riuniti per sempre.